SPEAK O' THE

NORTH - EAST

WILLIAM MORRICE WILSON

N E S Publications

First published 1993

British Library Cataloguing-in-Publication Data. A catalogue record for this book is available from the British Library.

ISBN 0 9521776 0 9

Printed by The Charlesworth Group, Huddersfield, England

For my grandchildren

PATRICK IAN WILSON

ELEANOR MARY WILSON

ACKNOWLEDGEMENTS

I wish to record my thanks to the relatives
who have provided assistance and made
contributions to this study :-

George and Jean Wilson
Heather Ann Eddie
Annie Eliza Lobban
James and Nannie Wilson
Colin Wilson
Annie Bella, Leel and Mary Wilson
Margaret Mary Davidson
Jessie C Davidson
Carol Mair
Caroline Leggat
Archie and Frances Towler
Stuart and Evelyn Chalmers
Charles and Anne Ingram

In particular I should like to pay tribute to
my wife Julia Wilson for the unfailing
assistance, encouragement and support
she has always given me.

I owe a special debt of gratitude to my
son, Ian Morrice Wilson, without
whose assistance this book could not
have been produced.

C O N T E N T S

CONTENTS

CONTENTS

CONTENTS

(This index does NOT include the commoner words)

INTRODUCTION

This study of the dialect of the North East of Scotland, as it was spoken over the past 200 years or so, is based to a large extent on my recollections from early childhood, together with those of a number of my relatives, supplemented by information collected over the years from a variety of sources. It reflects the speech of our parents, uncles and aunts who grew up in the last quarter of the nineteenth century and spoke the language of their parents and grandparents. Remaining fundamentally unaltered until well into the present century, it was our native language.

Changes had, however, been taking place with many words and phrases falling into disuse and a few new ones being adopted. The influence of the Church, of education in English and the social requirement of being "nice" spoken all contributed to these changes.

It is extremely fortunate that a comprehensive record of the Scots dialects has been preserved in The Scottish National Dictionary. To the people involved in the compilation of this work, including my uncle Mr George Wilson, must be given the credit for saving so much from oblivion.

Until about the middle of last century, Gaelic was still commonly spoken in the south west of the area. North East Scots was the language of the rest of the counties of Aberdeen, Banff, Kincardine and Moray.

There were clear variations of pronunciation between one district and another and small differences could occur in adjoining parishes or even in neighbouring families. Disparity between the speech of country and fishing communities were mainly differences of intonation. Over the years, with increasing mobility of population, any distinctions of dialect became blurred.

The present study is intended to illustrate, not only the singularly expressive words in the vocabulary and the highly evocative turns of phrase, but also the variety of grammatical constructions which differ from those found in Standard English. It is a comprehensive record of words, phrases and sayings placed in the contexts and circumstances in which they were used in ordinary, everyday conversation, but not all the meanings of every word are illustrated. A distinctive feature of this dialect, the use of diminutives, is so common as not to require much in the way of example.

To those unfamiliar with the dialect the spelling may appear eccentric. It is an attempt to reproduce, as closely as possible without the use of the phonetic alphabet, the way the words were commonly spoken.

In order to show some of the variations the spelling used is deliberately not uniform. It is not, of course, possible to convey in print the wealth and variety of meaning which could be expressed, often in a single word, by changes in intonation.

No glossary is provided. For meanings of words which are not familiar it will be necessary to refer to a dictionary of the Scots language.

The uniquely picturesque language of this area, which forms a vital part of our heritage, is in danger of extinction due to pressures towards conformity with Standard English. Since the advent of modern forms of communication, especially radio and television, our distinctive modes of speech are rapidly disappearing from everyday life, and are being replaced to a large extent by the Received Pronunciation of modern English, with Scottish overtones.

This study is intended to be a contribution to the cultural inheritance of those with roots in the area and a source of reference for those with an interest in dialect. It may help to provide a record of the dialect even if it can not ensure its continued usage.

The deep-rooted, but frequently undervalued, folk culture, of which language forms an essential part, is vulnerable to erosion here as elsewhere in the world. It can only survive if it is fostered by the active interest of the people themselves.

AY AY FIT LIKE ?

Ay Ay Fit like?
Ay min. Fit like?
Foo's the man?
Foo's aa wi ye?
Foo a' ye deein?
Foo's yersel?
Foo's yer doos?
Foo's the wardle usin ye?
Fit's aye deein?
Fit's new wi ye?
Fit's trumph wi ye?
It's yersel.
Hey min.
Ye're weel?

A hinna seen ye iss lang fyle.
A thocht ye hid gotten lost.
A thocht the Deil wis awa wi ye.
A thocht the Deil hid teen es ain.
Far hiv ye been hidin yersel?
Foo hiv ye been keepin sin last A saa ye.

AY AY FIT LIKE ?

Och A canna compleen. Brawlies.
Nae bad at aa / ava. Nae bad, considerin.
Nae that ill. Nae sae bad.
Neen the waar.
Fair te middlin. Middlin, jist middlin.
Jist geylies. Jist sic-like.
Winnerfu. Jist ma usual / eeswal.
Jist ma aal ordinar. Jist aye livin awa/livin-like.
Jist aye deein awa. Jist aye tyaavin awa.
Jist aye warslin awa. Jist aye wirkin awa.
Jist aye able te wag a hoch.
Jist hingin thegither wi the help o the cleise.
Jist keepin body an sowl thegither.
Jist aye keepin the richt side o the sod.
Aye keepin abeen the yird / mould / mools.
Aye managin te keep ae fit oot o the grave.
Jist aye tittin awa at the reyns.
Knypin on like a coo on a bike.

A'm gey sair made.
A'm nae gaan ower gweed girse.

Gweed day te ye.
Ta ta than. Tak care o yersel.
Look efter yersel, gweed fowk's scarce.
Look efter yersel, there's nae mony o's left.

EXCLAMATIONS

Ay ay.   Ay faith.   Ay fegs.
Aa richt.   Aweel.
Bizz.   By God.   By jings.
Confoon't.   Confooter't.
Damn the bit. Damn the fear.   Dang it.
Damn 'at weel-awyte.   Deg it.   Dash 'at.
Dear be here. Dear keep us.   Dear kens.
Deil a bit.   Deil a fear.   Deil a hair o't.
Deil hae't.   Deil kens.   Deil tak it.
Deil may care. Deil mean ye.   Deil sett ye.
Ding it.   Dyod be here.   Dyod, man.
Eh?   Eh man.   Eh my.
Fairly that.   Fich aliss.   Fient may care.
Fie on ye.   Fine that.   Fit ither.
Fit the deil. Fit the hell.   Fit the sorra.
For ony favour. For ony sake.
Fyach.   Fy ay.   Fy na.
Gaad sake.   Gyaad sake.   God Amichty.
Go.   God be here.   Godbethankit.
God damn it.   God sink it.   Gosh be here.
Gweed be here. Gweed fegs.   Gweed forgie ye.
Gweed guide's. Gweed keep's.   Gweed kens.
Gweed hiv a care o's.   Gweed preserve's aa.
Gweed sair's.   Gweed save's.
Gweeshtins be here.

EXCLAMATIONS

Haud yer tongue. Hech how hum. Hoch ay.

Hoot awa.   Hoot ay.   Hoot fie.

Imphm.   In the name.   I'se warran.

It's aa that.   Jist 'at.   Just so.

Loshtie be here.   Losh.   Losh me.

Mercy me.   Mercy on's.   Michty.

Michty be here.   Michty be God.   Michty me.

My certie.   My fegs.   My my.

My patience.

Na faith.   Na faith ye.   Na fears.

Na fegs.   Nae a bit.   Nae fear.

Nae half.   Nae winner.   Na na.

Never a bit.   Nivver.

Nyod be here.   Nyod sake.

Oh ay.   Och ay.   Od sake.

Oh me me.   Oh tye.   Oh bit yea.

Ony road.   Onywye.

Peety me.   Pudden-lug.   Pyach.

Richt aneuch.

Safe us.   Sieth.   Still-an on.

Te hell wi't.   Toot fie.   Toots.

Tyach.   Tye tye.

Wae's me.   Weel weel.

Yea yea.   Yod be here.   Yod sake.

SPICK ABOOT NEWSIN

Eh?

Fit?

Fat said ye?

A ken.

A ken 'at.

Ach A ken.

A tell ye.

A tell a lee.

Fine ye ken.

Ay, freelins.

For aa that.

For that o't.

By ma sieth.

Upon ma deed.

Weel than.

By the bye.

B'wye.

Like aneuch.

Ye ken fine.

A've nae doot.

Warst ava.

A cudna say.

A dinna ken.

A micht a kent.

I'se warran.

For a winner.

As like as no.

A'm thinkin that.....

A some think.....

A've seen masel.....

A'll say.....

Fit div ee think?

In my opeenion.

A nivver thocht.

A can asheer ye.

A've seen the day.

At'll be the day.

A bonnie day.

A fine day.

A widna care.

Ay, fairly that.

It wisna ma wyte.

It's sixes an saxes.

Fit ye caa'm?

A'm neen / damn the bit the wiser.

Na na ye're aa oot.

No. Oh bit yo.

At's weel an weel aneuch.

At's aa richt an richt eneuch.

At fairly nails the argument.

Ye're nae far wrang.

Ye're nae far awa fae't.

Ye've shiftit yer grun.

Ye're rale gleg / unco slow in the uptak.

6

SPICK ABOOT NEWSIN

Is 'at a fac?   A hae ma doots.
At beats aa.   At blecks aa.
At licks aa.   At paals aa.
At ootdings aa.   At's oot o theat.
At cows the cadger / the cuddy / the gowan.
At cows / dings aa green thing.
At ootrins aa common bouns.
It's nae mowse nor ordinar.
It's something by-ordnar. It's a clinker.
At beats dog fechtin an hens playin wi the dambrods.
A'm dumfoonert / dumfootert te hear't.
It wis a rale flamagaster / stammagaster.
A nivver saa the like o't in aa ma born days.
A canna get ower't.   Fit'll fowk say?
Fa wid a thocht it?   Fit wid ye mak o that?
Wid ye credit that?   Whit a cairry on.
Fit wye that?   Foo that?
Fit wye nae?   Foo nae.
A've seen as licht a blue.
A thocht a calf wis a muckle beast till A saa a coo.
Pigs micht flee bit they're nae a common bird.
Great bows but they're aa in the castle.
Great stots in Ireland bit they canna get here
     for their horns.
Weel weel, partans in a moss pot an puddocks
     i the sea.

SPICK ABOOT NEWSIN

We like fine te hae a news / confab.
We'll hae a collogue aboot it.
It wis graan haein a crack wi im.
A sees im fylies for a chat / a claik.
He's a newsie billie.
We're takkin things throu han.
We're newsin aboot craps an aa the lave o't.
We're jist caain the crack.
He put me throu't.
A spak til im aboot wir plans.
A wis at im aboot a new reef.

Gie's yer crack.   Fit's yer news?
A ken ye're ettlin te clear / teem / redd yer crap
    so fire awa.
A ken yer meanin be yer mumpin.
Jist wyte or A tell ye.   Ken 'is?
Div ye ken fit A'm gaan te tell ye?
Preen yer lugs back or A tell ye.
Atween you an me an the cat.
A wid as redd say naething aboot it.
Ye needna waste yer win.
A'm nae gaan te argifee.
We better jist lat it be / lat it sit.
We winna faa oot aboot it onywye.

SPICK ABOOT NEWSIN

He's aye ready te caa the clash.
He's aye caain aboot some tale or ither.
He loot the cat oot o the pyock.
It's naething bit clash / clash-ma-clavers / ill-ween
    /sloom /spin / yaag / raverie.
It's cadger's / fiddler's / piper's news.
The story's gotten hose an sheen.
It's jist country clash / the clype o the cwintra.
He wis makkin a fine fiddltie-fa aboot it.
He loot oot the pouther.
He wis makkin an unco sang aboot it.
A tellt im te keep it til imsel bit he blittert it oot te
    aabody.
Ye micht as weel sleep wi im as tell im onything.
A'm nae acquant wi the ins an oots o't.
A dinna ken if A got the richt threed o't.
A ken as muckle aboot it as a hen kens aboot plooin.
A hard o't bit A widna caa aboot the story.
A hard something o the kine bit A didna hear the
    knits.
A got the rinnins o the story bit at wis aa.
A jalouse that he disna ken muckle aboot it.
There's nae rik withoot fire.

SPICK ABOOT NEWSIN

The news got roon be wird o moo.
A did get a moyens o't.   A heard a souch o't.
Gin A read im aricht / gin A took im up richt at wis
     the wye o't.
That's the reet an rise o't.   Be his wye o't.
Te ma wye o thinkin.
A beet te harken til fit he hid te say.
He wid hae his wye o't rizzon or neen.
A micht a pickit im up wrang.
A didna gie im muckle cuttance.
A jist rebat. A nivver took im on.
A nivver loot on. A nivver lat bat.
A cudna be bathert / fooshtit / humbuggit.
He cross-speired me aboot it.
A tried im oot ower an in ower aboot it.
A nivver hard the like o that.
A thocht at wid gar ye claw yer pow.
A thocht at wid gar ye loup.
A thocht at wid gar ye sit up an tak notice.
It fair conflummixt an confoont me.
A body widna ken fit te think.
A some doot there's something in the win.
A widna say bit fit ye micht be richt.
A widna winner gin ye mith be richt.
A'm pichert te ken fit te think.
A'm behauden te ye for latten me ken.

SPICK ABOOT NEWSIN

A simmert an wintert im aboot it.
A fairly gied im throu the mull aboot it.
A wis aweers o tellin im jist fit A thocht.
A squabashed im.
It's as plain as porritch.
It's as clear as the dreep at aal Eppie's nib.
It sticks oot like a pot fit.
Seein's believin bit finin is certain verity.
Gin aathing's true that's nae lee.
That's nae lee nor cairriet tale for the fisher-wife
    tellt ma wife an ma wife tellt me.
It'll mak nae odds in a hunner 'ear.
Think twice afore ye speak eence.
Dinna mou-ban't til naebody.
Nivver say sids aboot it.
Dinna say cheese.
Keep yer mou shut an yer een open.
Clap / keep yer thoum on that.
Steek yer nieve on that.
Keep a calm sough in yer heid.
We'll tak it te avizandum.
We'll lat that flee stick te the wa.
We better dee that, jist for fear.
A nivver heard a cheep aboot it.
A didna hear a myowt fae ony o them.

SPICK ABOOT NEWSIN

Fit wis we spickin aboot again?
Div ye nae min aboot it?
A hiv a gweed memory bit it's nae very lang.
It gaed clean oot o ma heid.
A hiv a memory like a hen.
That's weel mindit.   Wyte or A see noo.
Ye sid ken that.   Ye shid a kent that.
Foo wid ye be if ye kent?
Fit wye are ye speerin?
Fitten a like thing te say.
A like plain spickin.
Abit we canna be sure.   A'm certain sure o't.
Fin it comes te the bit.
There's aye a something.
There's a mote on the meen.
A winna hear o't.
A winna coontenance that.
A sanna / shanna dee naething o the kine.
At'll be killin twa dogs wi ae been.
At's a pear o anither tree.
Afore ye could say Jeck Morrison.
Dinna fash yer heid / thoum.
Dinna pit yersel aboot / bather yer backside.
Ye'll get aa yer thanks.
Fowk that speers aathing shid be tellt naething.

SPICK ABOOT NEWSIN

Fit are ye lookin at?
A tippeny cat can look at the queen, forbyes a
    man at a monkey.
Ye needsna geck at wye at me.
Fit are ye snicherin at?
A cudna dee naething for lauchin.
It's naething te bicker an lauch at.
It's eneuch te gar an aal horse lauch.
A body lives lang efter they're lauchen at.

A nod's as gweed's a wink til a blin horse.

Ee's easy said til.
His bark's waar nor es bite.

Tell er that an seek a saxpence.
Tell's a bar.

Least said, seenest men't.

Ye'll mebbe sen me a scrape o the pen, or a scratch
    wi a brunt stick.

Ye maun vreet an tell's foo ye're deein.

SPICK ABOOT LOTS O' FOWK

A birn / boorach / byke / canally / dose / hantle /
    hirst / hist / spreith o fowk.
A gweed fyew fowk.   A gey curn fowk.
Fit a fowk.   Sic a fowk.   A gweed turnoot.
A steer nae handy.   A puckle fowk.
The hale caboodle / clanjamphry / closhach /
    jing-bang / rick-ma-tick.
A curriebushel / curriemushel.
A noisy currieboram / curriebuction.
A bangyal / kinallie / smarrach / smather /
    smytrie / swarrach o geets.
The hash o.... (Drumdelgie or ony big toon).
The hale congregation.   Foo muckle fowk?
A crood o toonsers.   Great croods o fowk.
A drinkin / gossipin cabal.
The toon's thrang wi fowk.

Baith the twa o them.   Ilky een o them.
Een an aa the lave.   Een amon the lave.
Ony o the twa.   Neen o the twa.
A pucklie o's.   A twathree o's.
A dizzen or mair o's.   A twalsome o them.
A hunner o them or thereby.

We're aa here thegither like the wife's ae coo.

14

SPICK ABOOT SIC FOWK

It taks aa kin o fowk te mak a wardle.
Like draws te siclike.
Like maister like man.
They're sic mannie, sic horsie .
There's nae een te men anither wi.
They're aa tarred wi the same stick.
They're aa oot o step bit oor Jock.
Aabody has their fauts an oor Jockie lees.
They aa did weel haud awa fae een or twa.
Weemen are kittle cattle.
There's a hole in the hielanman's wife bit
    she's nae a bad wife for aa that.
They pickle oot o ae pyock.
The tae corbie disna pick oot the tither corbie's een.

We're aa Jock Tamson's bairns.
Aa Stewarts arena sib te the king.

SPICK ABOOT FA?

Fa's yon chiel?
Fit billie's thon?
Div ye nae min o him?
He wis at the squeel wi ye.
Fitna een o the Wilsons is he?
He's a sin o aal Beel's.
Och ay, fa ither.
I hinna seen im for mony a lang day.
A've seen neither hide nor hair o im.
A see im fylies / puckles / noo an an.
A sees im gey an affen.
A seen im thestreen.
A ken im te see im.
He's a kenspeckle chiel.
He's mairriet te thon quine o Wattie's.
He spicks wi a strong burr.
Fan'll ye be seein im again?
Fin A'm doonby.
Fit kin o a billie is he?
Fit kinna lad is e te wirk wi?
A kenna foo e's gettin on.
Tell im A wis speerin for im.
Fit's es tee-name?

SPICK ABOOT FAR FAE

Far daes he * Wilson fae?
He wis brocht up in Alvah somewye.
He bed in Forglen at ae time.
His father cam fae Beenie an es mither fae Kineddart.
Some o their freens bide aboot Deskert.
He has an uncle bides in Fitehills.
A dinna ken far he wid bide noo.
He's an aal residenter.
He's oor neiper / door-neiper.
He bides by-sooth o Banff.
He bides oot-with the pairish.   Foggie wye.
He bides at a hoosie ayont the brig.
He steys wi es dochter an er man.

He disna come / hail fae hereawa / hereaboot.
He's an ootlin.

Foo div ye ken the North East fowk?
By their fits an their faas an their fans,
      their fars, their fins, their fats an their foos.

* Other surname as appropriate.

SPICK ABOOT KIN

Bleed's thicker nor watter.
A've spent a fyle reddin up ma kin.
We're freens te that faimly.
They're sib te me.
A coont kin wi him.
He's a far-aff freen o mine.
He's nae a drap's bleed akin te me.
He's the spitten image o es father.
He has the swype o es father's fowk.
He breeds o / favours / taks efter the father's /
    mither's side o the faimly.
They're aa ae oo.
They're so inbred that if ye kick ae erse aa
    the ithers dirl.
They're that like ither ye can hardly tell the teen
    fae the tither.
He's the shakkins o the pyockie.
He wis fessen up wi es grannie.
She's come o dacent fowk.
She's his ae yowe lammie.
A doot they winna store the kin.
They hiv a doo's cleckin.
They hiv five o a faimly forbyes the step-bairn.
They hiv a swarrach / kinallie o geets.
It rins in the bleed, like timmer legs.

SPICK ABOOT KIN

Father / Fadder
Faither
Da / dad
Sin

Breether / Breeder
Brither

Gran-father
Granda
Deyd
Lucky daddie

Gran-sin
Nevy
Kizzen
Gweed-father
Gweed-brither
Gweed-sin
Step-sin
Step-bairn

Mither / Midder

Ma / mam
Dother *
Dochter *
Sister

Gran-mither
Grannie
Deydie
Luckie minnie
Luckie

Gran-dother
Niece
Kizzen
Gweed-mither
Gweed-sister
Gweed-dother
Step-dother

* Missie (eldest dother)
* The maiden (dother)

SPICK ABOOT LOOKS

He's a lang / lang-shankit :
    daberlack / flail / spirl /stilpert / stramlach /
    streeker /stroop / strypal/ tram / tramshach /
    wheebert.
He's a lang teem faup.
He's a lang drink o watter.
He's a great lang lean lad nae verra weel faured.

He's a big / kibble / rambust / strappin :
    bilfert / chiel / knapplach / knar.
He's an undeemous size o a chiel.
He's a muckle / brosie / bulfie / bursen / fozie /
    stoot / wechty :
    bouff / durk / gulch / gurk / sugg / tulchan.
He's a fat, stupid beffan / blowther.
He's a brosie-heidit hillock.

He's a laichy-braid chiel.

He's a punchie / setterel / stocky / stowfie :
    drochle / durkin /junt / knot / pellack /
    pudge / punchikie / styog.
He suffers fae deuk's disease.

SPICK ABOOT LOOKS

He's a sturdy young bulf / chump / garron /
    gilpin / gudge / gurr / knap.
He's a lively young spunkie / covie.

He's a peer scruntit / shargert / shilpit /
    skrank / skrankie / misgrown :
    ablach / bodach / hurb / pecht / peeack / peek /
    runt / scaddin / schamlich / scrab / scrae /
    scrat / scrunt / shaird / sharg / sharger /
    skinnymalinkie / snite / tarloch / wallydrag /
    wallydraggle / warridrag / warridraggle / wisgan.
Shargers like te be heich.
Hair an horn growe weel on shargers.

A peer thing an pykit.
Din-skinned an ill-likit.

Bow-houghed an bean-shinned.
Ringle-eed an din-skinned.

He's a smaa sober laddie.
He's a wee cock-a-bendie.

He's a perjink wee mannie.

SPICK ABOOT LOOKS

He's fair-avised   black-avised
    dark-avised
    brosie-faced   buffie-faced
    lang-chaftit
    crom-fingert / leggit / taed
    crook-nosed / craigit / fingert
    geck-neckit   row-shoudert
    bowlie-backit   hulgie-backit
    humpy-backit   humphy-backit
    sparra-baldy   spurtle-leggit
    pirn-taed
He's a bow-houghed shammle-shanks / sharg.
He's aa vrang amon the queets.
He's a sclaff-fittet / skyow-fittet :
    sclaffer / sclaffert.
He has a baird / fuskers / a mowser.
He has a bellt pow. He's baldy-heidit.

His face wis like a dish-cloot.
He had a face like a nor-wast meen.
His face wid fleg the French.
His face wid fleg the rottans fae a toon.

Ye shidna criticeese the man's face. It's the only
    een he's got.

SPICK ABOOT LOOKS

He's half hung tee
   ill hung tee
   ill shakkin thegither
   aa erse an pooches
   aa guts an gangyls.

He his hans like graips an feet like spaads.
He his hans like feet an feet like fail dykes.

The loon has a bonny reed heid an a fine
   crop o ferntickles.
The peer bairn has a hareshard.
He's kinna gleyt.
He has a habber / a mant.
He's a blinterer.
He's near-han blin.
He's sae blintrin he canna see nae distance.
He has a fine seam o teeth.
His teeth's shammelt.
He glowers oot aneth a tossle o hair.

SPICK ABOOT LOOKS

She's a fodgel lass / a frow / a mawsie.
She's a sonsy deem / a fine oxterfu.
She hisna been fed on deef nits.
She hisna been fed wi a teem speen.

She's a wee dot / nyaff.
She's a nairra boukit deemie.
She's nae muckle boukit.
She's a knackie, trig wee lass / kimmer.
She's a canty, jimp, snod bit lassikie.
She's a hardy craiter for aa there is o er.
She's a bonnie, weel te be seen lassie.

She has a heid like a heather besom.
Her hair wis aa in daberlacks.
Her face wid spen a calfie / a foal / a sookin littlin.
She has a face on er wid soor milk.

Mony a bonnie face has little grace.

Fin ye see aa that bonnie quines ye winner
    far aa the oogly aal wifies come fae.

SPICK WEEL O FOWK

He's a fine / aafa fine / richt fine / gran / great :
    billie / birkie / chap / chappie / chiel / cove /
    craiter / lad / laad / laddie / loon / loonie /
    man / mannie.
She's a fine etc.
    lass / lassie / lassikie / quine / quinie / umman /
    umman body / wife / wifie / wifikie.

He's a topper.
He's the best o the bunch.
He's the daddy o them aa.
He's the hert o corn.
He's a moleskin chiel.
He's thocht weel o.
He's a weel-respeckit, stench chiel.
He's an aefauld / siccar / leal-hertit sowl.
He's a pensie / fair-spoken / wise-spoken man.
He's a fair furth the gate man.
He's a wise an wardle like chiel.
He's a lang-heidit, weel-deein man.
He's a gweed-hertit / gweed-willie chiel.
He's in gweed neiperheid wi aabody.
He's a gey knab.   He's nae smaa drink.
He's a cowshus craiter.

SPICK WEEL O FOWK

He's a heidie knyte.   He's a kneef billie.
He's a dungeon o learnin. He's a wasie chap.
There's mair in es heid nor fit the speen pits in.
He's a skeely lad fin it comes te curin ills.
He's comin oot for a doctor / minister / vet.
His mither wid like fine te see im waggin
        es heid in a poopit.

Ye draw til im fin ye get te ken im.
A hiv an infit wi im.
A wid like fine te earn his credit.
A hiv a saft side til im.
He's got aa es back teeth up.
He's owre aal a bird te he teen wi caff.
His wird's as gweed's es bond.

He's a hame-ower kin o a lad.
He's a plain acht-day kinna billie.

They're aye gweed that gies ye onything.

SPICK WEEL O FOWK

She's the stang o the trump.
She's as straucht in er principles as in er steys.
The gray mear's aye the best horse.
She's a fine plain body.
She's a douce aal body.
She's the aal man's ae dother / dochter.
She's his ae ee.
She's the aipple o es ee.
She's a fine gentie lassie.
She's as gweed as she's bonnie.

They're haimilt fowk.
They're plain common-dab kinna fowk.
They're fine cadgy / kidgie / couthie fowk.
They're hertsome company.
Sic kin'ly fowk are fyou an far atween.
Some strake the measure o charity bit they
        aye gie it heapit.

Braw,braw te be weel likit
Braw, braw te be sae bonnie
Braw, braw it is te be
Sae muckle thocht o be sae mony.

SPICK ILL O FOWK

He's a coorse vratch.
He's an ill-intenit / ill-minit / ill-naitert /
    ill-thochtit deevil.
He's a cankert / camsheuch / capernicious /
    carnaptious / contermaschious / crabbit /
    fashious / grumphie / gurlie / sauchen /
    sanshach / setterel / soor / surly / witterous :
    cadger / catter-wurr / culsh / fang / deevil /
    folp / gadgie / nyat / nyatter / shaird / sourock /
    tartar / tyke / vratch.
He's a dour / dowf / dowffie / dull:
    blumf / blunk / blunkart / clyte / mairt /
    stodgel / stodger / sumph.

She's a coorse bitch.
She's a nesty / ill-naittert:
    aal carline / aal heuk / aal jaad / aal rudas /
    cutty quine / kail-runt / hide / limmer /
    runk / runt / scauld / tink.
She's a spitfire o a craiter.
She's a gey Bessie.
She weers the breeks.
She's a queer aal mot / mottie / wifie.

SPICK ILL O FOWK

He's a droll character / a rarity.
He's an odd cove / gadgie / geeser / jigger / munsie.
He's a bit o a reep.
He's a bit o a Jessie / Jessie-Ann.
He's a game mannie, bit licht, licht.
He has some queer dandrums / ginks / ginkums.
He's unco fu o fittiefies.
There's nae muckle til im.
He's nae wirth a docken.
He's nae sae daft as he maks on.
He's jist Gweed's handiwork though nae
    een o the finest.
He's aye like imsel.
That's jist the set o im.

He disna ken fit he wid be at neist.
He disna ken whether he wid shite or spew.
He's here the day an awa the morn.
He'll neither dance nor haud the cannle.
He disna aye ride fin he saiddles.
He's either on the meen or the midden.
He's a twa-fanglet craiter - he can nivver mak
    up es min fit te dee.

SPICK ILL O FOWK

A widna gyang the length o ma fit /
    o the midden te see im.

He's blin in the ee he sees best wi.
He's deef in the lug he hears best wi, bit he wid
    hear fine if ye wis te say "Fit'll ye hae".
His niz gings half wye te meet a stink.

He's aye on the scran / skaich.
He canna see green cheese bit his een watters.
He'll humpsh onything he can get es hans on.
He's a tarry-fingert deevil.
He thinks it's braw haudin Eel in anither man's
    pantry.

He's an impident / ill-mainnert :
    chuff / jiff / jiffer / sharg.
There he wis as bold as ye like.
He wis scantlins ceevil te ma.
Ye'll get the cat wi the twa tails fae him.
He's a cheeky wee knapdarloch.
He's a cheeky monkey aff-takkin fowk like 'at.
He's jist a common five-echts.
They were scant o bairns that brocht him up.

SPICK ILL O FOWK

He's an ill-cleckit baiger.
He's a ringin scallywag / scoonrel.
He's a chate the wuddie.
He'll come til a bad eyn or aa be deen.
He'll get es sairin.
It's time he took up a bore.

He's a thrawn, stockit baiger.
He's a diel's buckie.
He aye likes te gang es ain gate.
He'll dee't rizzon or neen.
He'll dee't in spite o yer neck / mauger yer neck /
    mauger yer baird.
Thrawn fowk's nae easy guidit.
He's a domineerin, maugerfu vratch.
He's aye ready te cabal / fin faut.
He's nae mowse te meddle wi.

Ye'll get nae thanks fae him the pick-thank vratch.
For aa that they've deen for im he aye lichtlies /
    lichtlifies them.

Fit's born in the been is ill te tak oot o the flesh.

SPICK ILL O FOWK

He has nae rumgumption.
He shid surely hae mair aboot im than dee a gowkit
    thing like that.
A widna pit it past im / by im.
He surely widna been an deen that.
Ye canna pit an aal heid on young shouthers.
He hisna as muckle sense as a hen could haud in
    er steekit nieve.
He's sae biggit up wi thon quine o his he canna
    see daylicht / the licht o day for er.

Dinna miscaa im - he's nae a bad aal carlie.

Faar wid he a gotten haud o't?
He mebbe fun't far the Hielanman fan the tyangs.

SPICK ILL O FOWK

He's a sleekit foumart / keek / weasel.
He's a deep-drauchtit / far-drauchtit / lang-drauchtit
    billie.
He's sae fair-faced / twa-faced / twa-faul ye
    canna trust im an inch.
A widna trust im farrer nor A cud see im /
    throw im, he's sae aal-mou'd.
He's nae te be lippent til.
He plays Jock needle Jock preen.
He's nae muckle te ride the watter on.
He's nae the berry nor yet the buss it grew on.
He's fae the teeth oot.
He aye looks efter imsel.
He has a tongue wid fussle the liverock oot o the air.
It's aa fraise / phrase wi him.
He's far owre phrasie for ma taste.
He's aye ready te chim in wi ye / sook in wi ye.
Ye cud tell the wye he wis croppin an crosin wi
    er he wis efter something.
Ye wid think butter widna melt in es moo.
He surely got butter an ile for es first maet.
He's either aa honey or aa dirt.
Glib tongue, fause hert.

SPICK ILL O FOWK

He'll tak a len o ye if ye dinna watch im.
A widna cleek in wi him if A wis you.
He's a body A widna mell wi.
Damn else daes he think o bit fit shuits him.
He'll renegue on es promise.
He has a raxin conscience.
Gie him an inch an he'll tak an ell.
He's ilky body's body.
He's onybody's doggie for a piece.
He's a kiss-ma-pooch.
He's a pick-thank baiger.
He's as sliddery as an eel / a skate.
Fu o courtesy, fu o craft.

He's a causey saint an a fireside demon.
In deil, oot doo.

He daes gweed like a cat throu ill intention.

Some fowk will neither sweer nor ban
But will chate an lee wi ony man.

Steal a needle, steal a preen
Steal a coo or aa be deen.

SPICK ILL O FOWK

She's nae great dail.
She's the speak o the hale toon.

She's a flichterlichtie / flichtersome / fliskie /
    licht-heidit / skeerie :
    flee-up / flird / jaud / limmer / taupie.
She's a cairriet craiter.
She's a silly bizzom / shusy.
She's kinna fey / skeerie.

She's an ill-fashioned vratch.

She disna aye flee fin she flaps er wings.

She's a pernickety craiter.
She's rale mim-mou't / mim-spoken.

She's nae a chucken for aa er cheepin.

SPICK ABOOT FEELS

He's a brosie-heidit / cat-wittet / crack wittet /
    donnert / feckless / feel / gawkit / geypit /
    glaikit / menseless / rhymeless / senseless /
    silly :
    blumf / blunk / blunkart / blunt / bluntie /
    cuddy / daftie / dowf / dowffie / dunderclunk /
    dunderheid / eediot / feel / galoot / gaup /
    gaupie / gawpus / gillieperous / gommerel /
    goke / gowk / gumpus / gype / mell-heid /
    neep heid / nosy-wax / ouf / stirk / yowe.

He's aff at the knot / aff es heid / hellifa stupit /
    nae aa there / nae aa yonner / nae richt /
    nae wise / oot o es heid / oot o es wit /
    raivelt / saft in the heid / teem-heidit /
    vrang in the head.

He's oot o es rizzon / scant o mither wit.
He has a bee in es bonnet.
He's a daft aal bool.
His heid's in a creel.
He's geen clean gyte / skite.
He hisna wits eneuch te mak a livin.
He's tint fit little wits e ivver hid.
He's as feel's a maik watch.
He's as saft as sugar candy / as a gorblin.

SPICK ABOOT FEELS

A muckle heid an little wit.
He disna ken a B fae a bull's fit.
He disna ken es erse fae es elbick.
He widna ken ae eyn o a black stirk fae the ither.
He's as thick in the heid as shite in a bottle.
He's sae gypit ye cudna sen im te the sea for watter.
He's sae feel ye cudna sen im for a post-hole.
He jist gypes / gypers / gyters aboot.
He wints a groat / tippence o the shillin.
He hisna the sense o a hen.
He fairly shat in es nest fin he fell oot wi es father.
He's the biggest feel that iver God put guts in.

Eence wud an aye the waar.
Feels lauch at their ain sport.
Feels shidna hae chappin steens nor wyvers guns.
Ye canna mak a feel o a born eediot.
There's nae feel like an aal feel.
A nod fae a lord is brakfast for a feel.

Jamie Fleeman:
        A'm the laird o Udny's feel. Fa's feel are ee?

SPICK ABOOT GABBIE FOWK

He's a gabbie / glib-gabbit / glib-mou't /
    glib-tungt billie.
He's a blether / a deave / a gabbie-snarrach /
    a rummle-guts.
He's a newsie chiel / aal carle.
He's got the gift o the gab.
He spicks sae gnib it's a job te catch fit he says.
He's got some aafa upcomes.
He his some interestin aal fernyears.
He's aye croose i the craw.
He's as fu o win as an egg's fu o meat.
He jist opens es moo an lats es belly rummle.
He never opens es moo bit e pits es fit in't.
He's a boosht o a mannie.
He's a gabbie aal clypach / sweetie wifie.
He his mair jaa than jeedgement.
He wis crackin / knackin like a pen-gun.
He reeled aff a screed o poetry.
He wid domineer ye wi es lang tongue.
He's aye witterin / yammerin / yatterin on aboot
    naething at aa.
He gied's a great lay-aff.
He gied me a lang laib / lamgablich / leash /
    lebbach / leed / lingie / lyaag / say-awa aboot it.
He gaed intil a great lagamachie aboot it.

SPICK ABOOT GABBIE FOWK

He wid gie me the hale leetany aboot it.
He wis lebbachin aboot aa kin o nonsense.
He wis rabblin / rhymin on.
He yabblet / yammert on till A wis seek o't.
He tried te threep it doon ma throat.
He lunnert on aboot it for a fyle.
A didna ken fit e wis lounderin on aboot.
He raivellt me wi aa es clytach.
He wis speakin in blin parables.
A cudna mak tap, tail nor main o't.
A cudna mak heid nor tail o aa thon blatter /
      jibber-jabber / rabblach / raible.
He only needs a hair te mak a tether.
Fin es tongue's lowst there's nae haudin im.
He cam an aafa heicht.
He gaed an aafa length.
He got imsel fair wirkit up aboot it.
He disna hae't an haud it.
He fussles fair oot. He spoke heich oot.
Fit's nearest the hert comes first oot.
Better spick bauldly oot nor aye be grumpin.
He's waar in the girn nor in the bite.
He's ill for drivin the nail owre hard.

SPICK ABOOT GABBIE FOWK

He's a damt leear.
The tae eyn o's tongue caas the tither a leear.
Ye canna believe aa e says - he's inclined te gange /
    slide.
He knaps aff lees as easy as he taks aff es claes.
Ilky leear shid hae te tell es author.

There wis a lot o hudge-mudgan gaan on ahin's back.
It's nae richt te sclave / sclaver a body like yon.

He's an aafa man te ban / jeedge / sweer.
He has an ill-mou.
There's a blue threed in aa es stories.

There wis as muckle noisy lig-lag goin on A
    cudna hear masel thinkin.

A gweed tale is neen the waar o bein twice tellt.

SPICK ABOOT GABBIE FOWK

At weemen fowk's aye claikin / gabbin.
They were knackin awa thegither.
They were haein a confabble / corrie-neuchin /
    a cosy cuddle-muddle / cushle-mushle.
Her tongue waggit as swippert as the aal kirk bell.
She has a tongue that wid clip cloots.
She has a tongue that wid clip ten mile o a
    dirten hippen.
She wid speer the hips fae an aal wife an then
    speer far she lost them.
She wid speer the tail fae a docket dog.
She's a claik / clasher / clatterbag / clatter / clypach.
She's a kyaard-tungt vratch.
She's a lood-moothed, randie bitch / tink.

A widna be deaved wi er kecklin for aa er eggs.

SPICK ABOOT PROOD FOWK

Pride gings afore a faa.
Ilky craw thinks its ain breist the fitest.
He 's a bigsie craiter .
He thinks he's a hackie abeen the common.
He widna caa the keeng es kizzen.
He has a gweed conceit o imsel.
He thinks he's a gey bummer.
He thinks he's the heid deester / pilliedacus.
He aye likes te be heid o the heap.
It's aye fair fa masel wi him.
He's aye like wha but him.
He thinks he's a gey masher wi es coo ' s lick an aa.
His geese are aa swans.
They're fite-iron gentry.
They're up be cairts like Fleeman's meer .

He tries te pit on the English.
He tries te spick posh / pan-loaf.
He spicks as if he had a bool in es mou.
He's gotten roon the mou wi an English dish-cloot.
He's surely been trailed throu the eyn o an English
    midden.

SPICK ABOOT PROOD FOWK

He's an aafa baiger te bost / flist / gandy / gange.
He's aye blaain es ain horn.
He's aye blyaavin aboot fit he's gaan te dee.
He cudna dee't for as clivver's he thinks he is.
He wid be better te flee laich or he see foo he gets on.
Fowk that stans on a knowe will aye be notist.
Though ye see es heid ye dinna see es hicht.

She's a prinkie proodfu craiter.
She's a prood peat.
She's a heeliefu / hehllie : bitch.
She gies ersel some airs / kicks.
She's like a hoor wi a new hat.

Pride an grace ne'er bide in ae place.
Fin pride comes in at the door, love flees oot
    at the lum.

SPICKIN POSH

Young miss to visiting minister :
My father's calling oot mick an pirling ding.

SPICK ABOOT ROCH FOWK

He ' s a roch / rum :
  cabbrach / clype / hypal / hype / pallion /
  pilsh / pilshach / rammock / tramsach /
  tramshach.
He's a clumsy :
  bleeter / bumlack / caber / durk / fabric /
  hawmer / hemmer / puddock / selch / sklyte /
  sowd / stram.
He's a heilan stot / a Buchan hummlie.
He's a roch baiger fae the back o bafuff.
He's a roch-livin, hill-run deevil.
He wis fessen up at the back o the hill.

She's a roch / throuither / trooshlach :
  clatch / clotch / clort / dollop / draggle /
  flodge / foosht / heap / loorach / reechnie /
  strooshlach / toosht / trail / trailach / treelip /
  troll / wallydrag / warriedrag.
She's a muckle clumsy / untowtherly / fousome :
  heifer / hillock / keesar.
She's a fat, lazy mardle / sowdie.
She's an orra, hingum-tringum jaud / tink.

There's gweed an ill even amon the kyaards.

SPICK ABOOT SWEIR FOWK

He's a doxy / drochlin / eeseless / hingle / idle /
    lazy / mautent / sleuth / smeerless / snifflin /
    sweir :
    fleep / fleyp / footer / loll / sclype / sleeth /
    slip-ma-labor / slouch / slype / sneel / wisgan.

He's an aafa lad te loaf / jauk / peister / slope / sniffle.
He's dreich in drawin.
He's jist hert-lazy.
He's an idle ett-maet.
He's jist an ett-maet, shite an growe hungry.
He nivver daes a chap o wark / a han's turn.
He jist hawms ower / floans aboot aa day.
He fites the idle pin.
He's a futtle-the-pin.
He's aye holin / howkin / hulkin aboot the place
    deein naething.
He clorachs / leeps ower the fire aa day.
Ye hiv te haud es niz te the grinsteen.

Sweir te bed an twice as sweir te rise.

A sweir man's aye bodin ill weather.

The still soo sooks up the draff.
He wid need te sell es pig an buy a can.

SPICK ABOOT WILD FOWK

He's a deil-may-care / halloch / ragglish / reckless /
    rhymeless / wild :
    deevil / deevilock / dee-nae-gweed /
    neer-dee-weel / nochtie / orraster / radical.
He's a throu-the-muir baiger.
He's a ristless witter.
He's oot on the rig.
He's run the rigs.
He's aye scampin aboot gettin inte mischief.
He'll learn nae gweed takkin up wi thon kinna
    graith / trag.
He's geen ower es faither.
He's oot o the theats / like te kick ower the theats.
He's geen ower the score / throu the bows.
He wis up afore the Shirra bit e won aff.
She's a wild young hallirackit :
    hallach / hailykit / hallicat / hellicat / hizzie /
    kittie.
She's a rip o a quine.
They were in sic a reeho.
They're aye up te some kin o deilry / deviltry.
They were haein a wild ongo / some wild
    ongaans / ongangs.
They were gollerin aboot foo they cud fecht.

SPICK ABOOT WILD FOWK

They were kickin up a richt how d'ye do.
They were makkin a noisy dindee / dinniedeer /
    reerie / rippet / tow-row.
They gang their ain gait an the Deil gangs wi
    them so they hiv company that suits them.
They're a clamersum crew.
The wye they cairry on's oot o aa rhyme an rizzon.
They bide throuither an sort oot the geets at the
    'ear eyn.

Sic company as ye tak up wi, sic company ye'll be
    teen oot wi.
Gin ye hidna bin amon the craws ye widna hae
    bin shot.
Gin ye're te be droont ye winna be hangt.
Ye cud be deein wi a fyle aneth the weather-cock.
Ye'll mebbe hae te ride the stang yet.
Greater rogues dee in their beds nor fit's teen
    oot te be hangt.

SPICK ABOOT SCHEMIN

He tellt me aboot this great new scheme o his.
He thinks he's managed te draw in es cheer.
He wid clear aathing oot holus-bolus an start
    things aa ower again his wye.
New besoms swype clean, A s'pose.
New lairds hae new laws.
It's aa fish that comes te his net.
It soons a gey mischancy ploy.
It's a gey quirky business.
A some doot es plans micht misgo.
He lat it licht that he wid dee't.
A'll bet ma beets / lay ma lugs that he'll nivver
    dee onything o the kine.
He loot things ging owre far alength.
He's haen tribble eneuch ower the heids o't.
It's aa by wi / by an geen / feenished wi.
He his ither tow te tease.

He's aye interfeerin / intergutterin.
He's the weers o pittin in es speen.
He's aye stickin es niz in.
He's aye at heid an aix wi fit disna concern im.
He needsna be sae ready te pit in es mitt.
He has mair need te min es ain business.
Fowk shid winnie on their ain cannas.

48

SPICK ABOOT SCHEMIN

We'll lay wir lugs thegither an see gin we can
    wirk something oot.
At's by far an awa oor best plan yet.
We'll hae te pit oor backs intillt, an pit oor
    shouthers te the wheel.
A wid dee less wi mair ease.
A wid be fond te dee that.
A widna dee't for love nor money.
It's played up wi oor plans.

We'll hae te see if it'll wash its face.
Ye hiv te strik fin the iren's het.

They're like the cats, they aye licht on their feet.

SPICK ABOOT FINE PLEASED

A'm aa the road / wye noo.
A'm fairly riggit.   A'm weel shuitit.
A'm aafa teen wi't.   A'm richt trickit wi't.
A'm i' the gudeman's byeuks.
A'll dance at yer waddin.
It's the very dab.   It's the very dunt.
It's jist fit the doctor order't.
It's nae din bonnet.
It's jist the ticket.
That's the ticket for tattie soup.
Mony's the een wid be gled o't.
We'll jist be deein wi't.
We'll jist coont wir blissins.
We'll say three cheers an a steelie te that.
We'll caa a hack i the crook.
It's better nor a steen ahin the lug.
It's owre gweed te laist.
It disna maitter.   It disna mak nae odds.
It maks nae difference te me.
For aa the affair.
It micht nivver happen.
It gings te yer hert.
A thocht 'at wid pleasure ye.
A leuch ma kill.
A thocht A wid lauch ma hinner-eyn.

SPICK ABOOT FINE PLEASED

He had a lucky kinch.
He wis fair knichtit.
He wis kecklin.
He wis hobblin wi delicht.
He's feelin joco / mirkie.
He's as happy as a coo wi a banjo.
He wis wheeberin / wheeplin awa til imsel fine
     pleast like.
He wis sittin souchin / sowffin til imsel wi never
     a care in the wardle.
He hisna muckle comin ower im.
He disna jee es ginger / jundie.
She wis fair pleast wi the fairin he brocht.
She wis singin like a lintie.
They're on the daffin.
The corn's surely up eynoo.
Yer bonnet's on the eemist hack.
Ye look as if ye hid fun a fiddle.
Ye fair misst yersel.
Fient a care hae I.
It's aa een te Paddy whether he sups es brose or
     drinks them.
I did it for fun te keep ma taes lauchin.

SPICK ABOOT ILL PLEASED

A wis neen ower pleased aboot it.
A nivver thocht A wid a seen the day.
A took ill wi't.
A wis dancin mad.
A wis rale uggit aboot it.
A wis black affrontit.
A took an aafa scunner at it.
A canna be deein wi at kin o cairry-on.
A canna be humbuggit wi't.
A dinna ken fit'll come o't aa.
A winner at ye.
Fit a like thing te say aboot a body.
A cwid a seen im far eneuch.
A'm in bad breed wi him.
It's rale angersome.
It gangs against the hert.
It gars me grue.
It stuck in ma crap.
It wis a richt hehllie te ma.
It bodes nae gweed.
It's a dasht bucker.
It winna dee at aa at aa.
It's nae the berry.
It's eneuch te scunner a toad.
It's the hinner-eyn o aa.
It's oot o aa rhyme an rizzon.

SPICK ABOOT ILL PLEASED

It sticks like a sid in yer teeth.
It put me clean aff ma potestater.
It caad me richt oot o ma stotter.
It'll be twa weety days an a dry afore A try that again.

He's aafa ill te please.
He taks ill wi.....
He's nae easy pleast.
He's aye miscontentit.
He aye his something te girn / gronach / nyarb aboot.
He aye his es horn in somebody's hip.
He wid rive the heid o a steen.
He disna like a tare teen oot o im.
He wis gey doon-mou't / doon in the mou.
He's hingin-heidit / hingin-luggit / hingin-mou't.
He's casten doon / disjaskit / disjeckit.
He's sair doon-hauden.
He crookit es mou.
He gied me a scouk / scoul.
He wis ettin imsel / ettin es thoums.
He looks like the far eyn o a French fiddle.

SPICK ABOOT ILL PLEASED

He wis sittin glowerin / glumphin / glumshin /
   glunshin.
He's been kaimed / straikit against the hair.
He wis lookin as gin es niz hid bled.
His face wis like a soo's erse on a frosty mornin.
He's nae in gweed bin.
He's got es heid aneth es oxter.
He's got imsel in a richt kinch.
He's gey gumple-faced / partan-faced.
He's gotten a het hert.
He wis neen owre pleast te be ruffed doon afore
       he had said aa he wintit te say.
She's in the humdudgeons.
The peer craiter's great-hertit.
She's aye ready te shak er crap.
She faized me wi aa er girns.
She lookit like Wattie te the worm.
The lum's reekin.
They gied an aafa skirlin for aa the oo.

Whit a stink.   Fa fooshtit?   Whit a guff.
Gaad / gyaad sake.   A'm near-han scomfished.
Snuff up an help awa wi't.

Whit a begeck.   Whit a sook.   Whit a swick.

SPICK ABOOT RAGE

A hiv a craw te pluck wi you.
A gya im a flee in es lug.
A loot im hae it het an reekin.
A got a rale cuttit / dockit / snippit answer.
He caad im for aathing.
He gied im an aafa ragin.   He lat fung.
He wis siegin at them.   He flew intil's.
His temper's unco dockit.
She lat on the mull.   She lat oot on im.
He got es birse / dander up.
He took the bung / the huff.
He's gey kittle / short in the trot.
He wis fair raised / roosed.
He wis in thattan a rage.
He wis in sic an ill teen.
He wis gaan an aafa length.
He wis kickin up a stew nae handy.
He lost es rag.   He gaed clean hyte.
He got imsel in a richt claw / feerich / firr / fizz /
      fuff / fung / pirr / ramp / tit.
He's like te fire Fittie an burn the dykes.

Ye're in a bad cut the day.
Ye've surely been ettin soorocks.
Ye've surely had roddens te yer supper.
Ye've surely risen wi yer wrang eyn eemist.

SPICK ABOOT RETORTS

Ga wa wi ye.   Awa an bile yer heid.

Awa te Banff.   Awa te hell wi ye.

Oot o ma road.   Awa an play yersel.

Oot ye go, kit an caboodle.   Ach awa wi ye.

Oot o ma licht wid ye.   Gin yer father hid bin a
    glazier he micht a putten a winda in ye.

Ye can gang te the het place.

Ye can gang te Hecklebirnie.

A wid raither hae yer room nor yer company.

A'm nae carin.   A dinna care a rodden.

A dinna care the crack o a thoum.

A dinna care a buckie / a fushach / a strae.

A dinna gie a damn / a docken.

Ach, yer grannie.

A'm neen the better o you speerin.

A widna tell ye supposin A kent.

A'm nae sae green's A'm cabbage lookin.

Deil set ye.   Deil speed ye.

Deil tak ye.   Sorra fa ye.

Sorra on ye.   Sorra set ye.

Dicht yer ain door steen.

Dinna come the lang weskit wi me.

Dinna conter me.   Dinna misanswer me.

Dinna craw sae croose.

Dinna gie me yer ill-gab / ill-jaw /
    ill-mou / ill-ween.

SPICK ABOOT RETORTS

Dinna haud oot sic a lee te ma.
Dinna sin yer sowl.
Dinna try takkin a rise oot o me.
Dinna try takkin the lift o me.
Ee're gyte.
Fit are ye - man or moose.
Fit div ye ken aboot it onywye.
Fussle an flee up.
Gie't a drink.
Gie yer tongue time te cweel.
Gin A be pottie ee're pannie.
Haud yer tongue.   Haud yer weesht / wisht.
It's aa een te me.
It's the price o ye.   It's the size o ye.
It's nae in yer breeks.
Keep yer breath te cweel yer porritch.
Keep yer taunts te tocher yer dothers.
Keep yer hair on - wigs are dear.
Kiss ma erse.   Kiss yer luckie.
Merry hyne te ye - gweed riddance te bad rubbish.
Mey chuckens is aye cheepin.
Neen o yer ill-chat.   Neen o yer lip.
Neen o yer ill-fashience.
Neen o yer impidence.
Neen o yer mintin.

SPICK ABOOT RETORTS

Pit the saiddle on the richt horse.
Please yersel an syne ye winna dee o the pet.
Pu the ither een.
Serves ye richt.
Sic a lot o blethers.
Spick fin ye're spoken til an bark fin ye're bidden.
Steek yer gab.   Steek yer mou.
Stop yer nyatterin.
That cock winna fecht.   That story winna tell.
That's the pottie caain the kettle black.
Whit a chick.

Ye can chaa yer cweed on that.
Ye can cweel in the skin ye het in.
Ye can dicht yer nib an flee up.
Ye can fecht, fuck or haud the cannle.
Ye can fussle for't.
Ye can pit yer heid on a dyke an throw steens at it.
Ye could get the jile for that.
Ye dinna ken fit's gweed for ye.
Ye dinna ken foo weel aff ye are.
Ye'll be in tribble ower the heids o't.
Ye'll get deil aa oot o me.
Ye better mak yer feet yer freens.

SPICK ABOOT RETORTS

Ye'll tak the rue aboot that afore ye're muckle aaler.
Ye needsna be sae ready te criticeese aabody.
Ye're a slack-heid / a neep-heid.
Ye're a Turra tattie.
Ye're aff yer heid.　　　　　Ye're boss in the heid.
Yer heid's fu o saadist.
Ye're bletherin / haverin / slaverin.
Ye're spickin buff an styte.
Ye're spickin shite.
Ye're deef in the lug ye hear best wi.
Ye're makkin an unco sang aboot it.
Ye're nae feart.
Ye've geen ower the score.
Ye've got a bloody nerve.
Ye've got the wrang soo be the lug.
Ye've made a richt cuddy o yersel.
Ye've nae need te wallipen me.
Ye've pu'd a stick te brak yer ain back.
Ye wid anger a saint.
Ye wid fecht wi yer ain taes.
You an fa else.

Don't you know who I am my man?　I am Knight
Baron Knight, Knight of the Garter.
Well you can kiss my arse tonight, tomorrow night
and the night after.

SPICK ABOOT THREATS

A'll brain ye / baiss ye / drib ye / drub ye /
feather ye / fortak ye / lamp ye /
malagruize ye / mischieve ye / pran ye /
thrapple ye / tarraneese ye.

A'll gar ye sing wi a tear in yer ee.

A'll gie ye a bouff / clip / cloor / clype / clyte /
doosht / dowf / dump / dush / fornacket /
knack / leerup / rummle / ramiegiester /
sclaff / sclaffert / sclap / sclatch / scoor /
scoudrum / scud / slap.

A'll claw yer hide / aum yer skin
dab yer snoot in the dubs
dress yer droddum
gar ye claw far ye're nae yockie
gar yer lugs dirl
gar ye shak in yer sheen
gar ye cauk for't
gar't craw in yer crap
kaim yer heid te ye
saut ye for't
scone yer dock   cob / keb yer erse
skelp yer erse / skin yer erse
sort ye.

60

SPICK ABOOT THREATS

A'll tak ye in aboot
    thrash ye inte the middle o neist wik
    thrash ye within an inch o yer life
    thraw yer neck
    warm yer backside te ye.

Ye'll get a doon-settin / a dreelin / a driffle /
    a reddin up / a scam / a sederin / a yokin.

Ye'll get a cloor roon the lug
    a Deeside dichtin
    a dunt on the riggin
    a fussle / sing on the lug
    a gweed lickin / leatherin
    a het skin
    a seckfu o sair beens
    a skeeg on the backside
    a skelpit erse.

Ye'll get a waup wi the spaingie / strap / tag / taws.
Ye'll get buttock mail / ower ma knee.
Ye'll get hey-ma-nannie / laldie
    yer come-again / cowdrum
    yer dixie / fairin / sairin
    yer pandies / scondies / peyment.

SPICK ABOOT THREATS

A'll gie ye a line o ma min'.
A've a gweed min te throw ye oot body bulk.
Can ye nae tak a tellin.
Ye ken fine ye're nae supposed te dee that.
If A faa oot on ye ye'll ken aboot it.
Wyte or A get ma hans on ye.
You'll cop it.   You're for it.
Ye'll get it ower the fingers.
Ye'll get throu the bows / throu the muir.
Ye'll get teen ower the rack-stock.
Ye'll get ma beet up yer erse.
Ye'll get yer kail throu the reek.
Ye'll get yer heid in yer hans an yer lugs te play wi.
Ye're sair needin aa ye're gettin.
Ye cwid dee wi haein yer taes chappit in aboot a bit.
Ye wid be neen the waar o bein haudin in
    aboot a bit.
Ye're sair needin te be teen doon a hackie.
That'll pit the branks / haems on ye.
That'll pit oot yer pipe.
That'll pit yer gas at a peep.

Gin he's nae needn't eynoo he's needn't some
    ither time.
It's aa the same fan e gets it gin e gets it.

SPICK ABOOT FRICHT

A dreed the thocht o't.
A got an aafa fear fin A saa im faa.
A got sic a scare fin A thocht A saa a bokie.
A got the crap on.
A widna ging past the kirkyaird efter dark for
    fear o seein a ghaist / wraith.
A wis afeard A wid brak ma leg on the ice.
A wis fear't oot o a 'ear's growth.
A wis scairt oot o ma wits.
At kinna story wid gie ye the caal creeps.
It gars ma flesh grue.
It gied me sic a fleg / gliff it made ma hair prickle.

He fears the death he'll nivver dee.
He got imsel in an unco state o fricht.
He's feart at his ain shedda.   He's eerie.

She's an argh / erch / erf / nervish craiter.
She wis rale fleyt at the bodach.
She gied sic a skelloch / skirl / skraich.

Whit a fricht ye gied me.
Ye're surely nae feart at boodies / bogles.
Ye winna dee til yer day come.
The lift winna faa an smore ye.

SPICK ABOOT FLURRY

He gaed aff in sic a futher.
He wis in an aafa fizz / reeho.
He wis in a richt claw.
He wis in a gey fluchter.
She got in a richt carfuffle.
She wis in a terrible panshit / panshine.
She's aff er eggs.
She's like a hen on a het girdle.
She wis makkin as muckle fuss as a hen wi ae
    chucken.
She's been on heckle-pins aa day.
He's as ristless as a flech / as a blue-bottle wi a
    preen in its doup.

SPICK ABOOT DIN

A canna hear day nor door for yer din.
Ye wid deave / domineer a body.
Sic a din wid denumb the sorra.
Ye're nae needin te sing the breem.   Ye deservt
    aa ye got.

They were haein a carrant / oncairry / ramp /
    rample / rant.
They were makkin sic a binner / mineer / rammle.
There's some steerie / steeriefyke gaan on.
They were scronachin / squallochin / wallackin /
    yammerin.
They're rampagin / reemlin / wallochin.

It's been a blue day.

SPICK ABOOT QUARRELLIN

They were haein a gey cabal / carb / carble /
     cattie-wurrie / collie-shangie / currie wurrie /
     dabber / dibber-dabber / pilget / reerie / scash /
     skyow / tirr-wirr.

They've striven.   They're oot like a pot fit.
They cast oot aboot it.
They dinna say ae wye.
They had an oot-cast / thraw.
They're arguin / argufyin ever an on.
They're aye at the knag an the widdie.

The fat wis in the fire.
A tried te cowshin them.
A cudna pecifee them.

Ye may ding the deil intil an umman, bit
ye'll nivver ding him oot o er.

SPICK ABOOT FECHTIN

A wid rin a mile afore A wid fecht a meenit.
He egglet the loons on te fecht.
Dinna be a coordie / a feartie / a sneel.
Dinna be henny-hertit.
Ye'll hae te learn te haud aff o yersel.
Ye'll easy manage te tak care o him.
Ye can easy tak the swatch o him.
Ye're a game lad.   Ye'll easy teethe im.
Steek yer nieves.
Stick up til im.
Stick in littlest een, ye're baith the same size.
He doon't the big loon wi ae feuch / lick.
He fortook im.
He fairly bensell't im.
He ga im a gweed lunnerin.
He jassed im on es back.
He knevelled im till e wis black an blue.
He lat fung wi a steen.
He lat intil im / loot at im / lat skelp.
They laid intil ither.
They timmert intil een anither.
There wis sic a shangie / sharrie goin on.

A got a redder's lick fin A tried te stop the fecht.

SPICK ABOOT COORTIN

He likes er.   He's browden on er.
He's teen a notion o er.
He's teen wi er.   He's treeshin er.
He's cheekin in wi er / up til er.
He's aye foongin on er.
He's sookin in wi er.
He's teen up wi er.   He's fain til er.
He's faan on wi er.   He's daft aboot er.
He canna see daylicht for er.
He canna see past er.
He's got the smit.   He's a creep-at-even
He's winchin.   He's clickit.
He's hingin es hat up.
He hauds an aafa time wi er.
They haud a great bather / fraca wi ither.
He's pursued er iss fyle.
They're goin steady.
They've been lad an lass a lang time noo.
They've been gaan thegither iss lang fyle.
He's been gaan wi er / comin efter er a fyle.
They're thrang wi een anither.
They're cheekie for chowie.
They sit smuirichen.
He's gey far ben.
He's gotten es feet aneth the table.
She's oot trystin wi im.

SPICK ABOOT COORTIN

It's Scotch love - aye fechtin.
Bitin an scratchin is the Scotch wye o wooin.
He broached er aboot gettin mairriet.
He's socht er.
They were cried in the kirk.
They've been byeukit.
They're takkin the road te the aisle.
He's gotten es feet washen.

She has twa bows til er fiddle.
She's geen clean aff o im.
It wid be atween me an wint gin A took him.
He's gotten es feet cut.
She's geen im the fling an he hisna gotten ower
    the scam o't.
She's his aal sheen.

Gin she isna fair te me
Fit care I foo fair she be.

Och hey how hum, A nivver saa a bonnie lad
    but fit A likit some.

For ilky Jockie there's a Jeannie.

SPICK ABOOT COORTIN

Licht an love winna hide.

Het love seen queels.

He that gangs coortin the lasses maun temper
his niz te the east win.

Mony a een coorts the mither for the sake o
the dother.

Easy kittlet, easy coortit, easy made a feel o.

Better an aal man's dautie nor a young man's
forsaken.

Better te be mairriet te something than nae te be
mairriet at aa.

A lass that has mony wooers aft wiles the warst.

She'll mebbe look for hats ower lang an lat aa
the bonnets gang by.

She's been sautit an set by.

Jenny fautless is ill te get.

He's nae ill te please an fowk's tastes differ.

If ye mairry a tinker ye maun cairry the pails.

The three ages of women :-
Fa'll A tak?   Fa'll A get?   Fa'll tak me?

SPICK ABOOT FREE LOVE

He's got a bidie-in / a hing-tee.
She's geen the ill gait.
She's snappert.
They suppit the kail afore the grace.
They've been jobbin.
They've mixed their moggans.
They danced the reel o Bogie.
He bairned er.
She's faan wi bairn.
She has a trootie in the waal.
A some doot, lassie, there's mair in yer
        wime nor wis putten there wi a speen.
She had a bairn til er cousin.
She cast a leggin-gird.
They've haen te sit on the cutty steel.
Ye can aye be sure o the mither.

SPICK ABOOT MERRIAGE

They gied their dother a blaw-oot / flare-up
    o a waddin.
They had a great foy for er.
The fiddler played the shame spring.
They danced the shame reel.
The hale company gaed up te the Grand March.
His aaler breether had te weer the green gairtins.

He 's gotten es heid in the mink.
They've gotten sowthert.

The young couple are gaan te bide wi / stey wi /
    rely tae / rely til her mither for a fylie.
Livin on love as liverocks daes on ley.
She's a clockin hen.
She's lichter o a loon.

They're a weel-marra'd / weel-yokit pair .

They're an ill-marra'd / mis-marra'd / ill-yokit pair.

Fin the man's fire an the wife's tow
The Deil seen blaws them intil a lowe.

SPICK ABOOT MERRIAGE

Ma sin's aye ma sin till he get a wife,
But ma dother's aye ma dother aa the
    days o her life.
Tak a cattie o yer ain kine an yer kittlins
    will be like ye.
Better te mairry ower the midden nor ower the muir.
Dinna seek a wife or ye ken fit te dee wi er.
Sweet i the bed an sweir i the mornin is nae a
    gweed wife.
A man wi a bonnie wife needs mair nor twa een.
A blin man's wife needs nae paintin.
A dish o mairriet love seen growes caal.
Honest men mairry seen, wise men never.
Mairry for love an wirk for siller.
Gin aa are gweed lasses faar daes the ill wives
    come fae?
Flechs an a girnin wife are waukrife bedmates,
Aabody can guide an ill wife bit him that has her.
Dinna mairry a widow unless her first man was
    hangt.
Better half deed nor ill mairriet.
He's new mairriet that tells his wife aa.
Better a peer wife than bad company.
Next te nae wife a gweed een's best.

SPICK ABOOT THE BAIRNS

The mither's showdin the cradle.
The bairn's gey girnie / peengie.
A sook o the dumb tit micht pecifee im.
She's aye daidlin the littlin.
She's dossachin wi the bairn.
She'll hae that geet spilt / fortifee't.
It's a peppint vratch.
He's a wee blastie.
She wid need te crub im in aboot a bit.
The bairn wis kyauvin on es faither's knee.
He's a grannie's bairn.
Fan's the kirstenin?
He's jist beginnin te gaither es feet.
He's a peer ill-towdent pilpert.
He's a biddable laddie.
They've been putten te their beds.
They've sattlet doon.
There's neither meevie nor mavie fae them.
A hinna heard a myowt fae them.
The bairns huggert thegither te keep warm.

SPICK ABOOT THE BAIRNS

The bairns'll be at some kinna ploy.
They're teen up wi their plaiks.
The loons is playin bools / buttons / cock fechtin /
    fitba.
They're oot wi their cairtie / hurlie.
They're makkin a fleein draigon.
They're haein fun wi their rodden skooters.
He's fytin a stick te mak a shangie.
He's needin some laskit for es cattie.
The quines is makkin hoosies wi their lemmies.
They're playin at hoppin beds.
They're playin at schools wi their dallies.

The bairns are playin at :
    baisies   stottin the baa
    birlin / furlin the totum / tippertin
    climmin the tree
    coup the cat / tummle the cat
    coup the ladle
    hide an seek   tackie
    hitchie-koo
    hunt the staigie   hunt the tod
    loup the cuddy
    rowin / caain their girds wi the cleek
    showdin on the swing
    speelin the rope.

SPICK ABOOT THE BAIRNS

The bairns are haein a go on their stilperts.
They're playin wi the top an tryin te mak it sleep.
They're makkin catties tailies.
They're makkin neep lanterns for Hallowe'en.
They'll be dookin for aipples.
They'll be weerin fause faces.
They're reemishin / rinkin aboot in the laft.
They've geen for a walk throu the widdie te
      gaither burrs / sheepies / yowies.
They've geen te the shore te gaither groatie buckies.
They've been gettin up te some cantrips /
      jeegs / kicks / proticks.
They've been at some daftrie / skavie.
They were haein a tare.
They're biggin a bondie.
They were guddlin for troot in the burn.
They've been catchin minnons.
They daim't the burn.
They're skitin steens on the dam.
They're paidlin / dookin in the burn.
They're scutchin / slidin on the rone / ronie.
They're oot wi their sled / oot sledgin.
They're gealt / jeelt wi caal.

SPICK ABOOT THE BAIRNS

A Monanday's bairn his a bonnie face
A Tyesday's bairn is fu o grace
A Wodensday's bairn is a bairn o woe
A Feersday's bairn his far te go
A Frayday's bairn is lovin an givin
A Setterday's bairn works hard for es livin
Bit them that's born on the Sabbath Day
Is cheery an happy an blithe an gay.

SPICK TE THE BAIRNS

Ye're ma ain wee breekums / breeklums /
    croodlin doo / dautie / lambie / mitten /
    nacket / peat / peen / ted / tot / tottie / totum.

Ye're a flech / a geckin lad / a lively kempie /
    smatchet / a great warrior.

Ye're a tricky wee clip.
Ye're a bleck / a limb o the deil / a wee deevilock /
    an ill-trickit nickum.
Ye're as fu o mischief as an egg's fu o meat.

Ye're comin oot o yer buckie noo.
Ye're oot o yer box.
Ye've been putten in the stirkie's staa.
Ye'll be a man afore yer mither.
Ye're growin like a rash buss.
Ye're growin oot o aa ken.
Ye've surely putten yer legs ower far throu yer breeks.
      Ye're gettin te be a big cowt / knap.
Ye're raxin oot.   Ye're gaan aa te shaws.
Ye winna grow noo unless it's like the
    coo's tail - doonhill.
Ye're like a skinned rabbit.

SPICK TE THE BAIRNS

Ye're an aal-farrant craiter.
A see ye teetin roon the door. Teetie-bo.
Come inte ma oxter.   A'll gie ye a bosie.
Ye're tryin te get up the saft side o me.
Ye're tryin te couther me up / cuddle up te me /
     fraise me / gow ower me / sook in wi me.
Ye're cheekin in wi me.
A some doot it's jist cat kindness.
Ye're lookin as if butter widna melt in yer yer cheek.
A'll gie ye beardie.
Ye're aafa kittlie.
If ye're wintin te dance A'll diddle til ye.
A'll play on the kaim te ye.

Gree noo littlins.
Gree geets, ye'll seen be sinnert.
Hish noo.   Weesht.   Wisht.
Stop hotchin aboot.   Stan steen still.
Jist sit there on yer hinner eyn.
Ye're a ristless flech / pagan.
Ye've surely got a bool in yer erse that ye
     canna sit at peace.
Ye're fobbin / pechin like a fat kittlin.

SPICK TE THE BAIRNS

Yer hair's hudderie-dudderie / raivelt / touslie.
Sit doon on the creepie / steelie an A'll daik yer hair.
A'll need te shade yer hair.
Yer hair's gey ruggie.
We'll gie ye a bowl crop.

Fit wye the lang lip?
Ye've lat doon the lippie.
Did ye hurt yer brinkie-broo?
Did ye brob yer crannie?
Ye shidna hae grutten.   Stop yer bubblin.
A wish ye wid stop yer peeackin.
Nae need te bullie / bum / bummle / gollie.
Stop yer sneevlin.
Ye're a girnie vratch.
It'll be aa ower or ye ken o yersel.
Ye'll come tee wi clappin.
Wis she nae makkin mean for ye?

Ye're nae needin te croonge / crulge doon there.
A widna hairm ye / mark a finger on ye.

SPICK TE THE BAIRNS

Ye're in ma road.   Get oot amon ma feet.
Dinna faize me / gaw me.
Ye wid anger a saint.
Ye're a clorty craiter.
Tak care an nae skail yer soup.
Ye're sliverin aa doon yer bib / brat.
Ye've spleitert yer soup aa doon yersel.

Yer lugs is barkit.
A can see the tide mark roon yer neck.
Dicht yer snoot.
Gie yer nose a snite.
Get the boakie oot o yer nose.
Ye wid ett dirt if it hid a dry taste.

Ye manna spick roch.

Dinna blaud yer gweed new breeks.
Dinna frumple yer claes.
Dinna scutch yer feet on the fleer.
A tellt ye nae te bung steens.
Dinna clod the beese wi steens.

Tak tent te fit ye're bein tellt.
Fitiver A say gings in at ae lug an oot at the tither.
Ye're nae in.

SPICK TE THE BAIRNS

Ye wid lose yer heid gin it wisna screwed on ticht.

Ye're aye pleyterin aboot amon the dubs.
Ye're plowterin oot an in like a drookit rottan.
Yer hans is frozen playin in the snaa.
Pit them in the bowlie o warm watter.
A ken it'll mak them dirl an stoun.

Rype yer pooches.
A ken ye dinna like caster ile bit jist ee pit it
    ower yer craig.
If ye hid that an yer supper ye wid sleep.
Pit on yer goonie an awa te yer beddie ba.
Are ye nae oot ower yer bed yet?
Hiv ye putten on yer cleysies?
Come doon the stair sidieweys an ye winna faa.

A'll kiss ye fin ye're sleepin an ye'll dream
    fin ye're deed.
A'll kiss ye fin ye're sleepin an that'll haud ye
    on dream fin ye're deed.

SPICK TE THE BAIRNS

Yer maet gings doon thrapple street inte pudden
    market.

Ye'll growe bonnie if ye wash yer face wi Mey dew.

If ye spick gey fair an look gey peetifu ye'll mebbe
    get fit ye're wintin.

Ye better nae mak a face like that for if the
    win changes ye'll be left wi't.

April eerans :
    A pennywirth o doo's milk.
    A pennywirth o strap ile.
    A pun o hingin mince.

SPICK TE THE BAIRNS

This is the wye the ladies ride
Jimp an smaa, jimp an smaa
This is the wye the gentlemen ride
Boots an aa, boots an aa
This is the wye the cadgers ride
Spurs an aa, spurs an aa, spurs an aa.

This is the wye the ladies ride
Jimp an smaa, jimp an smaa
This is the wye the gentlemen ride
Spurs an aa, spurs an aa
This is the wye the cadgers ride
Creels an aa, creels an aa, creels an aa.

This is the wye the ladies ride
Jimp an smaa, jimp an smaa
This is the wye the gentlemen ride
Trottin awa, trottin awa
This is the wye the cadgers ride
Creels an cadgers aa's awa
 Te Gamrie, te Gamrie, te Gamrie.

SPICK TE THE BAIRNS

Chin cherry   Knock at the doorie
Mou merry   Peep in
Nose nappy   Lift the latch
Ee winky   An walk in.
Broo brinky
Ower the hill an doon te stinky

This is the man that brook the barn
This is the man that stealt the corn
This is the man that tellt aa
This is the man that ran awa
An peer wee crannie doddie peyed for aa.

Twa doggies gaed te the mull
They took a lick oot o this wifie's pyock
An a lick oot o that wifie's pyock
An a laib oot o the mull dam
Hame again, hame again, loupie for loup
Hame again, hame again, loupie for spang.

This is the broo o knowledge
This is the ee o light
 This is the bubblie gauger
An this is the moo te bite.

SPICK TE THE BAIRNS

Johnnie Smith, a fella fine
Cam te shod a horse o mine
Pit a bit upon the tae
Te gar the horsie clim the brae
Pit a bit upon the brod
Te gar the horsie clim the road
Pit a bit upon the heel
Te gar the horsie trot weel.

Johnnie Smith, a billie fine
Cam te shod a horse o mine
Shod a horse an caa a nail
Caad a tacket in es tail
Haud im siccar, haud im sair
Haud im be the mane o hair.

Sandy Kildandie, the laird o Kinknap
Suppit kail brose, an swalliet the cap.

Sandy Kildandie, the laird o Kinknap
Suppit kail brose till es belly cried crack
He suppit the brose an swalliet the speen
"Ho, ho" quo Sandy, "the brose is deen."

Country Geordie, Brig o Dee
Sups the brose an leaves the bree.

SING TE THE BAIRNS

Hap an rowe, hap an rowe
Hap an rowe the feeties o't.

Katie Bairdie hid a coo
Black an fite aboot the moo
Wisna that a dainty coo
Te dance, Katie Bairdie.

Fussle Beardie hid a coo
Black an fite aboot the moo
Wisna that a dainty coo
Belangt te Fussle Beardie.

Fussle Beardie hid a horse
Te haul the cairtie throu the moss
He brook the cairt an hangt the horse
An fusslet ower the lave o't.

The dog in the midden he lay, he lay
The dog in the midden he lay, he lay
He lookit abeen im an saa the meen sheenin
An cockit es tail an away, away.

Queen Mary, Queen Mary, my age is sixteen
My father's a farmer on yonder green
Wi' plenty o' siller te dress me fu' braw
But nae bonnie laddie will tak me awa.

SPICK O' THE BAIRNS

A'm needin doon / oot.
A'm nae carin fit ye caa me as lang's ye
    dinna caa me ower.
A'm the same age as ma tongue an a bittie
    aaler nor ma teeth.
At's mines.   A've got een o ma ains.
A hinna ony.   Gie's a wee bittie.
Gie's a bit o yer gundie / plunkie.
A'll ging haavers wi ye.   Chaps me.
A hiv a gully te hooie.   Will ye trok wi me?
Are ye colleckin car numbers / birds' eggs?
Fair hornie noo.   We're eeksie-peeksie.
Gie's a shottie.   Lat's hae a shot.
Time aboot's fair play.   We'll dee't efter ither.
We'll tak it time aboot.
You're hit.   A'm in ma dell / den.
A ken a fine hidie place.
Dinna buckie / burrie me. Dinna mock me.
It is not.   It is sut.
Ye're makkin on.   Crivens.
Keep the pottie bilin.   Lat the cattie dee.
A'll tell on ye.   Clippy clash pyot.
Gie's back my blue lemmie, A'm nae gaan te play.
Kep the baa.   Far did ye plank the fitbaa.
Knick yer bool.

SPICK O' THE BAIRNS

Ye're a richt Sammy Dreep.   Timmer-lugs.
Skinny malinkie lang legs wi umberelly feet.

Clivver cocky canna craw
Cocks es tail an at's aa.

A'm the king o the castle
Get doon ye dirty wee rascal.

Sticks an steens may brak ma beens
Bit nicknames winna hurt ma.

A'll tell ye a story aboot Johnnie minnorie if
     ye dinna spick in the middle o't.

Yer wheels is rinnin roon.

Loon : Mither, there's a thoosan cats in oor back yard.
Mither : Surely nae.
Loon : Weel, there's a hunner.
Mither : Na, na.
Loon : Weel, there's oor cat an anither een.

SPICK ABOOT MISFORTUNE

He's a peer breet / sowl / stock.
He's a sad object.
It's peetifu te see im.
He's sair doon-hauden wi that wife o his.
He's kept in es ain neuk.
He's mair te be peetiet nor blamed / lauchen at.
Her cradle's had a hard rock.
That loon o theirs has gien them a sair hert.
He's been a hert-scaud te them.
It's a gey job.   It's aa that.
It's waar nor that, ten waars.
They're peer skybelt craiters.
A feel hert-sorry for them.
Ye canna bit sympatheese wi them.
They hinna their sorras te seek.
They've haen a gey throu-come.
It's geyan sair on the peer fowk.
It's the weel warst for the peer craiters.
They're atween the deil an the sea.
They've suffert a sad skaith.
He's in the gled's claws.

SPICK ABOOT MISFORTUNE

Life is fu o cark an care.
It's a peer warl fin aa's dung doon.
Or ae jaw be ower ma heid anither's brakkin
    on ma rumple.

Aa's nae ill that's ill like.
There wis nivver an ill bit there micht a
    been a waar.
Aathing has an eyn, an a mealie pudden has twa.
There's naething for't / there's nae howp bit
    te mak the best o a bad job.

SPICK ABOOT MISHANTERS

He cam be an amshach / a mishanter / a skavie.
He did imsel a mischief.
He gaed heelsterheid / heelstergowdie / tapsalteerie.
He fell erselins inte the midden.
He cried clap / fell clyte / fell sclype / gaed dird /
    gaed dump on the fleer.
He snappert an gaed aa es length.
He gaed on the breeth o ' s back.
He fell plype / sklyte / sklyter inte the horse-troch.
He gaed plowt / sclatch inte the ditch.
He laired / laigered in the mire.
He slippit an fell on a dolder o shite.
He fell an barkit es shins.
He trippit ower a bumlack an gaed rowin doon the
    brae like a bowie.
He tummelt heid first intil a fun buss.
He got a cloor on the heid wi a clunkart o yird.
He gied imsel a crack / knap on the heid on a
    knapplach o steen.
He near-han brak es neck fin he scurred / skitit
    on the ice.

SPICK ABOOT MISHANTERS

He chappit es thoum wi the haimmer.
He gied es finger a brob / dob on a thorn.
He got a skelb o wid in es finger.
He gied es han a nesty hagger wi the saa.
He gied imsel a crack on the dirlie-been.
He got a dirl / cloor on the elbick.
He brak es shackle-been.
He raxed imsel.
He got a bowff / yowff on the back.
He thrawed es back.
He gaed ower es fit.
He gied es fit a scash jumpin aff o the dyke.
He caad imsel oot o the queet.
He shammelt es queet.
He wis dammert / dammisht fin a steen fell
    on es heid.
He wis in a stoun wi the dunt on es heid.
He kent aa aboot it fin e steed on the wasp's
    byke - styangs aa ower im.
He gae imsel a doup-scour fin e fell.
He gya imsel a birst wi tyaavin sae hard.

SPICK ABOOT NAE WEEL

He took ill.   He took nae weel.
A dinna ken fit cam ower im.
It's something that's gaan aboot.
It's better te haud oot nor pit oot.
Something's geen wrang wi es stammack.
He's aafa seeck.
He's pukin es hert oot.
He's got the back door trot / the grips.
He's smorin wi the caal.
He's chokin wi the smuchter.
He his a dose o the snifters / snochers.
He's spickin throu the caal.
He's aye aafa hairse.
He's got sic a foze / fozle he can hardly draw breath.
His thrapple wis sae sair he cud hardly lat ower
     es milk.
He's sair made wi the wheezles.
He has a bucher / byucher / croichle / kicher /
     pyocher / kirkyaird hoast.
He's crawin like a bursen cock.
He's gotten ower es hoast bit he's still crowpin.

SPICK ABOOT NAE WEEL

He's sufferin fae an income.
He's got a bealin / an eemir / a futlie bealin /
    a hotterel.
We'll pit a meal / steepit loaf poultice on the
    bealin an that'll draw't.
He got bitten wi a cleg.
He's come oot in blebs.
He has a fuskie-tacket / a plook on es nose.
He has a hack in es thoum.
He's got a rag-nail.
He's gotten the jandies.

He's aafa hippit.
He's stiff in the jints.   He has shot jints.
He's bathert wi es rheums / rheumatics.
His airm's fushionless.
His legs is dwaffle / dwaible / dwamfle / dweeble.
His legs is flozent / aa swallt up.
He's a cripple crochlin craiter.
His leg's been scobbit so he can hirple aboot.
He needs a finger-steel te keep the cut clean.
His wound's renderin.
He's haen a shock / blast.
He's geen reed wud.
She gaed intil a dwawm.

SPICK ABOOT NAE WEEL

Fit ails ye?   Fit's adee wi ye?
A'm like a deed dog.
A hiv a dirl o the teethache.
Ma teeth's stounin like te drive me mad.
Ye can chaa clows te ease the teethache.
Or tak a drappie o fuskie an lat the saw
      sink te the sair.
It's ill te thole.

He's teen til es bed.
He's beddit up.
He's aafa ristless an he fows the hale nicht.
He didna bow an ee aa nicht.
He hid a waukriff nicht.

Wi bein nae weel he hisna gotten oot aboot.

The bairns hiv gotten the fivver / the
      kink-hoast / the mirls.
They've been smittit wi ring-worm.
They've got beasties / nits in their heids.
We'll get them oot wi the been kaim.

SPICK ABOOT NAE WEEL

He's gey oorlich / pae-wae / peelie-wallie.
He's fite an pickit lookin.
He's brucklie.
He's doon in the mou / hingin luggit.
He's bleerie-ee't / watery-nibbit.
He's aafa doon / gey sair made / rale wamfle.

He's jist aye sic-like.
He's neen ower weel - jist aye sober.
He's deil a bit / nae a grain better.
He's a peer dorbie / dowie / fenless craiter.
He's makkin naething o't.
He's nae makkin muckle o't.
He's comin aafa in.
It's fairly teen im doon.
He's gey shilpit / shrunkit / shrunkled.
He's as thin as a rake.
He's awa te skin an been.
He's jist a rickle o beens.
He's pickit te the been.
He's jist hingin on be the breers o the een.
He's haen a back-jar / a back-set.
He's sadlies awa wi't.   He's nae like te cower.
A doot he winna claw an aal man's heid / pow.
A some doot he winna store the kin.

SPICK ABOOT NAE WEEL

The doctor's geen im some drogs.
He's sweir te tak them.
The cure's waar nor the disease.
Doctors differ an sae dis diseases.
Tastes differ an sae dis doctors' drogs.

He's beginnin te kittle up again.
He's anither kin' the day.
He's a heap better.   He's come tee.
He's come throu't.   He's gotten abeen't.
He's aboot again.   He's able te stot aboot.
He's til es fit again.
He's te the road again.
He's rale cadgy / codgie noo.

A dinna keep sorro langer nor it keeps me.

A widna speer for er or she wid faa ower.

A nivver hid salts in ma bledder nor a lance
    in ma liver.

SPICK ABOOT AAL AGE

Aal age disna come its leen.
It's ill te be aal.
He's up in years.   He's wearin on.
He's aul / lang in the horn.
He's gotten anither nick in es horn.
He's aul-gabbit.   He's tyke-aal.
He'll be aboot ages wi me.
He's an aal man byes me.
He maun be byous aal, bit still te the fore.
He's geen seeventy.
He maun be a teuch aal baiger.
He's as teuch as aal beets.
He's an aal deen man.
He's gettin gey shooglie aboot the knees.
A gie im an oxter the length o the door.
He's jist able te ditter / doddle / dot / drochle /
    toit / toiter aboot.
He needs a staff te get aboot.
He's gettin gey dull o hearin.
He's near-han blin / steen blin.
He's tint es glesses an he's sae blintrin he's
    lost athoot them.
The aul craiter's fairly crined.
He's failin, bit he's been a hardy aal lad.

SPICK ABOOT AAL AGE

He's been a wirker aa es days an noo he's jist typit.
Better te weer oot nor rot oot.
He's a peer aal brolach / scrunt.
He's clean by imsel.
He's clean devered / doitrified / dottlet / raivelt.
He's bedal / bed-fast / bedrall in the ospital.
He's an on-wyte noo.
He's far throu wi't / like te be deen wi't.
He's sadlies / sair awa wi't.
He's gaan gear noo A doot.
He's come til es hinner-eyn.
He's in the deid thraw.
He's a kirkyaird deserter.

She's an aal aal umman body / carline.
She's like an aul wife shot aff o a barra.

A'm as aal as ee're auncient.
If A dee o aal age it's time ye had yer will made.
We're like the pigs - the aaler the ooglier.
A'm ower aal a dog te learn new tricks.

SPICK ABOOT THE DEID

He dwyned awa.   He slippit awa.
He slippit the grips / the timmers.
He gaed throu ma fingers like a knotless threed.
He dee't a naitral death.

He's been kistit.
He's been putten doon.
 There wis a big turnoot at the beerial.
A lot o fowk showed respect.
He'll be sair misst.

Dinna spick ill o the deid.
Lifeless fowk are fautless.

Life jist his te go on.

SPICK ABOOT GRACE

O Lord wha blessed the loaves an fishes
Look doon upon these twa bit dishes
An though the tatties be but smaa
Lord mak them plenty for us aa
But if oor stammicks they do fill
T'will be anither miracle.

Grace be here an grace be there
An grace be on the table
Ilka een tak up their speen
An sup aa that they're able.

Selkirk grace.
Some hae maet that canna ett
An some wid ett that want it
Bit we hae maet an we can ett
So let the Lord be thankit.

We thank the Lord that we hae meat
A bit te gie an a bit te keep
The name o the Lord be blessed.

Here we are the lot o's
Fower scones amon sax o's
Thank God there's nae mair o's
An God save the Queen.

SPICK ABOOT GRACE

The souters ' grace.
What are we before thee, O King Crispin?
Naething bit a parcel o easy-ozy souter bodies,
nae wirth ae aal shee te men anither.
Yet thou hast given us leather te bark an leather
te yark, oot-seam awls an in-seam awls, pincers
an petrie-bowies, lumps o creesh an baas o rosit
an batter in a cappie.
Amen.

SPICK ABOOT SERVIN

Deal smaa an sair aa.

The great goodman the great goose heid
The great goodwife the nibbich o't
The twa lads the twa legs
An the peer man the closhach o't.

SPICK ABOOT MAET

We'll get a bite te ett fin eence we win hame.
Fit are we gettin te wir denner?
Ye'll jist hae te tak fit's agyaan.
Ye'll mebbe get a dish o wint.
Ye'll jist get a pickin.
Ye're gettin tatties an pint te yer denner.
A'm sae hungry ma belly thocht ma throat wis cuttit.
Ye're surely hert-hoongry the day.
A'm aafa clung.   A'm stervin.
A cud ett a horse.   A cud ett green an grey.
Hoonger's gweed kitchie.
Hoonger an sharp teeth mak the best kitchie.
A'll boddam ye weel wi brose.
Dinna droon the mullart.
We jist like haimalt fare.
Wyte or A cover the table.
Sit in aboot te the boord / brod.
A stannin seck fulls seenest.
Lay tee.   Lay yer lugs in.
Say awa an tak a piece.   Pit tee yer han.
First come, best sairt.
Jist rax for fitiver ye're wintin.
Chat up yer maet.   Scrump up yer breid.
Snap up yer brose.
Ye can claw the caup / the pot.

104

SPICK ABOOT MAET

We get girsie stibble here.
Ye've fairly geen's a lairge helpin.
Are ye for some pudden?   Are ye wintin some?
Will ye hae a speenifu o jeelie?
At'll surely stanch yer hoonger.
At's graan belly-timmer.
The maet's roch an roon.
It's great stuff.   It gings te yer hert.
At's the kinna stuff te gar yer lugs crack.
At'll gar yer hair curl.
At'll gar yer intimmers rummle.
At'll knit yer ribs / stick te yer ribs.
At'll pit hair on yer chest.
At'll gust yer gab.
Lat's see a bit o yer piece.
Ye like yer piece weel hired.
Pit on a smeerich o butter.
Dinna be feart te haud on the jeelie.
Ye've fairly clortit on the treycle.
Ett yer fill bit pooch neen.

It's ae thing preein ma jeelie.   It's anither thing
      aathegither troolin't in the face o ye.
Ye hiv a crap for aa corn an a baggie for rye.
Ye hiv a keypie for aa corn an a baggie for sheelicks.

SPICK ABOOT MAET

Ye're a hoongry hun.   Ye're as gleg as a gled.
Ye wid ett the deil an drink the sea, like Johnnie
    Duguid's hens.

He's a greedy filshach / pudgle.
He's a guttie / gutsy knap.
He's as greedy as he is godly.
He wid humsh aathing an leave naething te
    the lave o's.
He disna like te see onything gaan by im.
He forlethiet imsel wi bein sae gutsy.

There's nae saitisfien ye.
Ye maun be pang fu wi aa that maet.
Ye've surely gotten yer sairin.
Ye sidna laib up yer soup like 'at.
Ye're nae needin te ham intillt.
There's nae need te stap yersel.
Gin ye gulch / pooch yer maet like that ye'll
    choke yersel.
Ye're nae te guts / glog / slorach yer maet.
Yer mainners is laithfu.
Ye ett like a soo, blibberin yer soup 'at wye.
Ye've left yer plate like a soo's troch.

106

SPICK ABOOT MAET

Ye've gotten drabbles o soup aa ower yer weskit.
Ye've spleitert / squeetert yer broth aa ower the table.

Are ye nae able for't?
Ye hinna muckle cut.   Aa the mair for the lave.
Ye're a pickie craiter / a pike-at-yer-maet.
Yer ee's bigger nor yer belly.
At's a fu man's leavins.
A've aa in ma moo that ma cheeks can haud.
A'm drum-fu / strait / stappit / weel saired.
A'm feelin a thochtie bowdent.
Better belly rive nor gweed maet spile.
Lay me doon bit dinna bend me.
We've gotten mettit.   We've gien't a fleg.
Ye're like yer maet.
Ye've putten't intil an ill skin.
Ye'll sicken yersel ettin aa that galshach.
We'll set by some broth for the morn.

It's aye a hoonger or a burst wi them.

She nivver even said "Hiv ye a moo?"
She didna say "Collie wid ye lick or taste?"
Them that gangs unbidden sits unsairt.

SPICK ABOOT MAET

Yer breid's fine an freuch.
Yer pastry's fine an free.
At's fine crumshie / scrumpie biscuits.
Ye deserve aa the reese ye're gettin for yer scones.
Yer pie's richt smervie.
A fair enjoyed that cheerie pyke.

Thon wee pieces is a richt chate the belly.

A'm ill aboot sweeties.
A hiv a crave for sweeties.
Ye wis lookin at the sweeties wi a lang ee.
Ye're greenin efter ma sweeties.
We'll buy a pyock o sweeties fae the sweetie-wife.

The greedy man's aye freens wi the cook.
It disna tak a bonnie cook te mak gweed broth.
A hoongry man has aye a lazy cook.
An ill cook shid hae a gweed cleaver.
Ye need a canny cook if ye hiv only ae egg te yer
    denner.

SPICK ABOOT MAET

The maet's gey scrimpy.
There's nae fushion in yon kinna blash / blitter.
It's unco fenless stuff te gie a body.
Tatties throu the bree again the day.
It's thin spleuterie soup.   It's sung.
It's aafa spout-ma-gruel / grushion.
It's a richt potterlow.
Caul kail het again is aye pot-tastit.
It's jist pan-jotrals.
It's aafa lookin perlyaag.
It's gey ramsh / wauch / wersh stuff.
At's a Monday's haddie.
The meal's mochie.   The tatties is mottie.
The loaf's fooshty / moostit.
The jam's hairy-mouldit.
That cheese has kneggum. It's pickant.
That beef's startin te maithe.
At ham's tyeuch te chaa.
Jist ramsh / scrump it up.
Ye're aye ready te ett up aa the orrals.
As the soo fulls the draff soors.
A took a forlaithie / an ug at it.
A wis near spew-sick.
It gangs against yer hert.
That kinna sotter's eneuch te sicken / skeichen ye.

SPICK ABOOT MAET

MEAL

Roon meal.

Breid : gnap the win / twa breids an a brose.

Brose : fat / fy / hasty / kail / milk / neep.
    Caal steerie. Knotty tams.

Porritch / porritch an treycle / milk porritch.

Gruel.

Sowens / drinkin sowens / knottit sowens.

Mealy dumplin.

Mealy jimmie / jerker / puddin. Fite puddin.

Meal an thrammel.

Skirlie.

PEYS MEAL

Peys meal brose / peysers.

Peys bannock / scone.

SOUPS

Lentil soup. Milk soup. Pey soup. Tattie soup.

Soup lythent wi meal.   Hare soup.

Broth : barfit / barley / beef / cabbage / hen /
    flannen / mutton / yaval / scadlips.

Cock-a-leekie.   Cullen skink.

SPICK ABOOT MAET

MEATS
Beef / veal. Mince. Scotch collops.
Pork / ham. Ham an haddie.
Mutton / lamb. Mutton ham.
Cock / hen. Howtowdie.
Hare / rabbit.
Pottit heid.
Black puddin.

FISH
Fite fish. Dried fish. Saut fish.
Cod. Skate. Saumon. Troot.
Haddock. Finnan haddie. Yalla haddie. Chat.
Stappit haddie. Smokie. Speldin.
Herrin. Kipper. Twa-ee'd beefsteak.
Mackerel.
Hard fish.
Raans.
Stappit heidie.

CHEESE
Calfies cheese (made oot o beistins).
Croods / croodie. Croodie butter.
Ream cheese. Chesell cheese. Hangman.

SPICK ABOOT MAET

VEGETABLES
Tatties :   bil't / chappit / hairy
tatties an butter
tatties an mustart
tatties an syes (tatties an girse)
pick an dab.

Cabbage / bow-kail / bowstock.

Beet-root.	Carrots.	Neeps.	Swads.
Curly kale.		Brussel sproots.	
Ingans.	Shallots.	Syes.	
Beans.	Parsley	Peys.	

EGGS
Eggs : bil't / caddelt / fried / poached.

Omelette.   Cheese omelette.

Pace eggs.

PUDDINS
Rice.   Ground rice.   Semolina.

Tapioca (puddocks eggs).

Clootie dumplin.

"Cremola"   "Full Cream"

Yirnt milk.

SPICK ABOOT MAET

PIECES

Fite breid.   Loaf an treycle.
Jeelie piece.   A piece wi berries.
Baps.   Buttery baps.   Butteries.
Rowies.   Softies.
Bannocks.   Butter bannocks.
Pancakes.   Drop scones.
Currant daad.   Currant loaf.
Sair heidies.
Snaps.   Biscuits.

KITCHIES

Butter.   Knottit ream.
Jam.   Honey.   Jeelie.
Treycle.   Seerup.   Black treycle.

SWEETIES

Claggum.   Gundy.   Plunkie.
Carvie sweeties.   Readin sweeties.
Grannie sookers.   Aal wife's sookers.
Pandrops.   Soor draps.   A stalk o rock.
Black strap.   Black sugar.   Sugarellie.

SPICK ABOOT MAET

FRUITS

Aipples.   Brammles.

Grosarts.   Gnashicks.   Rasps.

Black / fite / reed currants. Chirries.

Blaeberries / blairdies / bliverts.

Straaberries.

Plooms.   Geans.

Rhubarb.

PLANTS

Arnuts.   Sooricks.

OTHER

Saps.

Scaddit scone.

Snap an rattle.

SPICK ABOOT MAET

BREID :   a corter / daad / farl / fardel /
junt / kyaak / murl / murlack /
murlackie / roon-aboot.

LOAF :   a divot / fang / heel / junt / shave.

CAKE :   a chat / crumch / crumchick /
crumshie / crumshickie / crummle /
crumlick / crumlickie / mealock /
meelackie / minshie / nimsh.

CHEESE : a darle / dorle / kebbuck / knyte /
kneevle / kneevlick.

MEAL :   a gowpenfu.

FITIVER'S AGYAAN :
a wee bittie / gnep / gnipper / kemple /
knap at the win / starnie / tastie.

Will ye tak an eggie te yer tea?
Oh ay, A'll aye tak an eggie if A canna get twa.

SPICK ABOOT DRINK

They speak o ma drinkin bit nivver think
    o ma drooth.
A sorry hert's aye dry.
A cud drink the sea.
A cud drink the Boyne an sook the banks.
A'm sittin here dry-mou't.
A'm glaggerin for a drink.
Ye'll tak a drap o the aal kirk.
 Jist a wee skitie / a teethfu.
A'll tak a stannin drink like the Forfar coo.
Ma throat's gizzent.
At'll slock yer drooth / stanch yer thirst.
At's something te weet yer thrapple.
Aff they gid te weet their wizzens.
A cood dee wi a slockener.
He nivver bade's kiss a caup.
He geen's nae mair nor a jaup / jilp o drink.
We'll hae te flee the blue doo.
Ye maun pey yer lawin.

He's a drouthy kinna billie.
He's an aafa lad te blybe / blyber.
He has an unco drouth.
He taks a big drink.
He's a terrible man for the drink.
He's inclined te turn up the wee finger.

SPICK ABOOT DRINK

He's ill for coupin the cog.
He daes owre muckle blabbin / blebbin / blebberin.
He taks a tootie.

His joog wis reamin wi ale.
He blew the ream aff es stoot.
He took a lerb o es drink.
He glaggers fin he's drinkin.
He gloggit ower es drink.
He rifts ower es ale.

He's waar te watter nor te corn.

He's on the rammle.
He's haen a skite owre muckle te drink.
The maut's abeen the meal.
He wis the waar o drink.
A kent he wis drunk - his legs wis pleatin.
He's as drunk as a lord / a tink.
He's dozent wi drink.
He's as fu as caup or staup'll mak im.
He's as fu as a partan / a piper / a wulk.
He's bleezin fu / blin fu / bung fu / greetin fu /
        mortal fu / stottin fu.
He cood hardly staan leave aleen gang.
Fin drink's in wit's oot.

SPICK ABOOT DRINK

He's throu the bows wi drink.
He wis that fu he cwidna bite es thoum.
They aye hiv a blockin ale te sattle their bargain.

This place is yoamin like a barmin bowie.

Ye'll need te be deein wi Adam's wine.
Ye'll get a drink o watter oot o that spootie.
A got naething bit a drabblich o soor milk.
A'll mask the tay.   Heat the trackie.
Div ye tak sugar?   Jist a starnie.
Pit the milk in the lem joogie.
At milk's as blue as bliverts.
It's jist a tinkie's maskin.   It's reekit tay.
Tak a howp o yer tay.
If ye wid be a lang liver aye sweel the kail
      fae yer liver.
It's watter bewitched an tay begrudged.
It's gey wyke blib.

Double drinks are gweed for drooth.
Mair are droont in drink nor in watter.

SPICK ABOOT DRINK

Milk. Buttermilk.
Froh milk. Foorach.
Tay. Cocoa.
Lang ale. Sugarellie water.
Sproosh.
Penny-wabble.
Fuskie. The aal kirk.

MILK : a bowlie / drap / drappie / jilp / jibble.

TAY :   a cup / cuppie / half a cuppie / suppie.
        A birse cup.

SPICK ABOOT SMOKIN

He smokes a cutty / cutty pipe / cutty clay /
  cheek-warmer.
He likes es Stonehaven pipe.
He smokes Bogie roll / black twist /
  cut an dry, twa unce the week.
He took aff the lid an caad aff the dirry.
He chappit oot the dottle on the bink.
He scrapit oot the bowl wi es knife.
He rummlet the stem wi a bittie weer.
He cleaned the scob / stapple.
He fullt the pipe oot o the spleuchan.
He lichtit es pipe wi a flint an fleerish /
  a spail / a quile.
He took a spunk fae es spunk-mull an crackit it
  on the fleer / on es breeks.
He took a draw / a feuch o es pipe.
He fuffs / lunts / sooks awa at it.
He hauds the feech / the pipe-shank.
He's sittin there reekin like a lime kill.

He smokes fags.
He smokes Ardath / Black Cat / Craven A /
  Gold Flake / Players / Woodbines.
He snibbit the fag an put the tabbie ahin es lug.
He flung awa the doupie.

SPICK ABOOT SMOKIN

He eest te chaa tabacca.
He aye had a quid in es cheek.
He had a spitoon at the side o es cheer.
He eest te slorach an spit in the fire.

The aal man eest te tak sneeshin wi es snuff-pen.
He handit roon es snuff-mull til es freens.
His nose wis aye rinnin wi sneeshin draps.
A wis gled fin he stoppit the fool habit an
    took til a pipe.

SPICK ABOOT CLEISE

He weers a jacket / a jaicket o rapploch grey;
    breeks / breeks o gweed braid claith /
     breeks o hodden gray / kersey breeks /
    breeks wi go-to-hell pooches /
    breeks wi hip pooches / corduroys /
    moleskins / dongerees / dongers;
    a flannen linner / semmit;
    a sark / a winsey sark;
    a gansey / jersey / linder / mawsie;
    a weskit / a sleevt weskit / wastquite;
    galluses;
    a dickie;
    a gravat;
    a bonnet / cockit bonnet / luggit bonnet /
    snootit bonnet / tile hat / lum hat /
    pickie-say / paddie hat / braid bonnet;
    socks / stockins / fittocks/ queetikins.
His jacket has a hanky pooch / an oxter pooch /
    a poachin pooch.
He's in es ilkaday cleise / Sunday cleise /
    scuddlin cleise.
He has on es good suit an he's sportin es double-
    breistit watch-chine.
His breeks is spleet new.
He weers the same cleise te kirk or market.

SPICK ABOOT CLEISE

He weers es bonnet wi a tare o cut / skew-whiff.
He's weerin marraless stockins.
He has on es new sheen / es tacketty beets.
He pits a wisp o strae in es beets te keep es feet warm.
He wupps strae raips roon es queets.
His breeks wis lirkit up aboot es knees.
Ye're sellin spunks.   Button up yer spaver.
He weers nickie-tams te keep the styoo oot o es een.
The loon gaed awa hame wi es cleise in a chackie.
He keeps es collars an studs in the shottle o es kist.
That suit sairs / sets ye weel.
It shuits ye doon te the grun.
It's gweed claith - aa oo / aa ae oo.
A cloot abeen a cloot te haud the ween oot.

Onything suits a weel-faured face.

Tak aff yer bonnet till A see yer beets.
At's a gey riggin divot ye've got on.
It's the life o an aal hat te be weel cockit.

SPICK ABOOT CLEISE

The lassies likes new-farrant cleise.
She's weerin a chackit skirt / a laylock goon.
She hid on a bluachie / fiteichie / greenichtie /
    yallochie kinna frockie.
She wis weerin a new cwite an a shallie.
She his on blue bloomers.
She wis dressed up te the nines.
She wis dinkit oot in aa er finery.
She wis dossed up / trickit oot in er braws.
She's pinkit ersel oot in er new frockie.
She's aye trig - ye micht say jinniperous.
She's lookin rale gim / ticht.
The time she taks gettin riggit she's a richt onwyte.
The lassie's weerin an aafa skyrie frock.
It'll cast a dash at a distance like sharn on a ley rig.
She's awa wi er Sunday cleise on er Setterday back.
A clean gird on a sharny cog.
Whit a track she wis.
She's an aafa lookin target / ticket.
Better oot o the queets nor oot o the fashion.
A widna dust a fiddle wi fit she had on.
She's prinkie in the wye she dresses ersel.
Her frockie's jist a flindrikin.

SPICK ABOOT CLEISE

The quine wis weerin aafa like laibs /
  tatterwallops / trails / treelips.
Her hat wis prinkit oot wi aa kin o furliefas /
  furlie-majiggers / whigmaleeries.
She had on an ugly lookin pilsh / pilshach /
  polonie, wi as muckle flumgummery.
She's a stook o duds / rags.
She's a draggle-tailt craiter.
Her duddies is gey jimp / scrimpit / scrimpy /
  scuddie / tuckie.
She wis hankit intil er cleise.
The quines weer sae little nooadays they're
  near-han nyakit.
Her sheen's gey slim.
She wis oot o er bed bit still in er vrapper.
She had on er carpets / softies / sclaffs / sclaffers /
  scushles / baffies.
She'd putten on er aaprin / er peenie.
Aal weemen weer a prudence / a frowdie mutch.

The bairnies weer barries / goonies;
  cleisies; breekies / frockies;
  mittens / doddie mittens / pawkies /
  hummel doddies;
  sansheen.
Pit the brat / the hippen on the bairn.

125

SPICK ABOOT CLEISE

Time ye wis riggit.
Runk oot yer cleise ready for the kirk.
Busk yersel, lassie.   Pit on yer new rigoot.
Hap yersel up weel.
A semmit o creeshy flannen hauds awa the caal.
Pit on yer hap-warm afore ye ventur oot.
If ye're warm eneuch ye're braw eneuch.
Tak yer wile o the bonnets.
Yer jersey's on back side foremost.
His onybody seen the marra o this glove?
Pit on yer gairtins te haud up yer stockins.
Pit on yer fittocks te keep yer feet warm.
Gie yer sheen a bit dicht.
Bleck yer beets.
Scuff the stew aff o them.
Yer beets is unco jauk.
Rub yer beets wi hen's creesh te haud oot the watter.
Pu up the bur afore ye tie yer pints.
Tie yer pints in a doss.
Cheenge yersel.   Tirr yersel.   Change yer feet.
Cast yer cloots / duds / doublets.
See an shift yer feet.   Tak aff yer swytie socks.
Ye've gotten yer cleise in a gruggle.
Ye've got them aa frumplet / thrumplet.
Ye'll hae te get yer new beets trackit.

SPICK ABOOT CLEISE

Yer cleise is gaan deen.
Awite they've seen better days.
Yer cwite's gey raggit.   A new een's sair not.
It's nae muckle waar o the weer.
It's ready for the rag pyock.
Gie me doon that dunshach / fussoch o cloots
        or A get a bit te men yer breeks.
Ye micht shew a button on ma breeks.
Wid ye shew a sark on te this button te ma.
The button's surely been shewn on wi a reed-het
        needle an a burnin threed.
It's jist been lang steek an pu hard.
A'll pit a gushet in the skirt te mak it fit.
Yer jersey's moch-ettin.
The colour's gey casten.
Foo coud ye drabble yer cleise like that.
A motor raced by an platched me wi dubs.
A got a sklatter o dubs on ma breeks.
The loon's oot o's cwites.
He's a richt cock-a-breekie noo.
He's intil es langers.
He's sair on es cleise.
At's aafa lookin bulyaments te be weerin.

Like a Hielanman's breeks neither shape nor fashion.

127

SPICK ABOOT SILLER

A feel an es money's seen pairtit.
An eident han's aye makkin.
A penny saved is a penny gained.
A preen i the day is a groat i the 'ear.
A man winna thrive gin es wife disna lat im.
Fit ye get for naething is twice te pey.
Forehan peyment maks hingle wark.
It's aabody for themsells an Deil tak the hinmaist.
It's easy te cut a big thong oot o anither man's lether.
Money borrowt is sair sorrowt.
Leein rides on debt's back.
Naething's chape that's nae not.
Fun siller's seen spent.
Licht come, licht geen.　　　Sic sawin, sic reapin.
Nae thrift, nae thrivin.　　　Waste na, wint na.
Penny wise, poun feelish.
Short accounts mak lang freens.
Sweirtie's the enemy te thrift.
Siller's like a muck midden, it daes nae
　　　gweed till it's spread.
Little daes the peer gweed an as little dae they get.
The peer's aye hauden peer.
The win's aye in a peer body's face.

SPICK ABOOT SILLER

The ee o the maister maks the horse te go.
Yer ain ee's aye the best grieve.
Mak yer ee yer merchant an yer purse yer guide.
Aye haud the hank in yer ain han.
Buy chape, buy dear.
Buy in a fu market an sell in a teem een.
Dinna burn a penny cannle lookin for a bawbee.
Gree like brethren bit coont like Jews.
Learn te creep afore ye gang.
The heicher ye clim the farrer ye fa.
Ye maun jist lay the heid o the soo te the tail
    o the grice.
Ye micht as weel tak the gweed o't for ye canna
    tak it wi ye.
If A canna tak it wi me A'm nae gaan.
Ye maun provide for the day ye may never see.
Dinna pit oot yer airm farrer nor yer sleeve will gang.

He that by the ploo wid thrive
Himsel maun either lead or drive.

Tie a coo in a cloot
An she'll seen win oot.

SPICK ABOOT SILLER

He guides es siller weel.
He hains es bawbees.
He kens the richt side o a shillin.
He's forehandit / foresichty.
He's a weel-deein chiel.
He's in es potestater.
He's geen fae the stibble te the clover.
He's a gear-gaitherer.
He has a gweed rake o gear / wardle's gear.
He's weel foggit.   He's weel-gaithert.
He wid hae a gweed puckle siller laid by.
He wid hae a gweed closhach o bawbees.
He wid hae a gweed stockin fit.
He wid hae a hantle o siller / a bonnie penny.
He wid hae a posie o siller / a clockin hen.
He wid hae a weel fullt stockin / moggan.
He wid a gaithert a gweed curn bawbees.
He wid a hudged up a gey pucklie siller.
He wid a posed up a knottie o siller.
His breid wis weel byaakit.
His boolie rows weel.
The wardle's waggin weel for im.
He's makkin siller like sklate steens.
They scrimped an saved.   They're sillert fowk.
It's aa been weel vrocht for.
She's a weel-tochered / tocherless lass.

SPICK ABOOT SILLER

He's a jonick kinna billie te deal wi.
He gied me half a croon te the beet o the bargain.
He gae me a luck penny.
He gied me arles.
He fairly keeps the mell in the shaft.
He aye peys on the meenit-heid.
A gied im a len an it's come lauchin hame.
He made myane te get me the let o the place.
He wid hae te pey a shillin or twa for yon place.
He wid pey twa an a plack.
He must a peyed a sweetie for't.
He widna get it for thank ye.

Fin ye hiv ae bawbee ye maun hae anither een
        te keep it company.
Ye sid lay something aside for a sair fit.

Ye're aye needin - ye wid think A wis made o siller.
There's nae muckle o't agyaan eynoo.
This is the day the coo calves.
We aye manage te scrat a livin.

The man that maks owre muckle o ye has either
        cheatit ye or intens til.

SPICK ABOOT SILLER

He's a graspin, glamshach deevil.
He's grippy / grippin / ill-hertit / scrubby / scrunty.
He's gey near the been / near begyaun.
He's raie ticht.   He has a drap at es nose.
His breeks lie gey near es leg.
His hans winna herry im.   He maks a peer mou.
He winna get how-backit bearin es freens.
A greedy man has lang airms.
Gettin money oot o him is like pu'in teeth/
      like gettin bleed fae a steen.
It's aye the warst cwite that's nae peyed for.
He gies ye jimp / scuddie mizzer.
He's unco gnib wi's accoont.
He's forty-faul.   He's as fly as ye like.
He's a crafty peener.   A mislippen im.
He's wirth the watchin.
Dinna lat im grip ye / snipe ye.
Dinna get in es clooks.
Dinna lat im sit on yer coat-tails.
He aye looks oot for a grab / a nip / a rug.
He wid try te prig ye doon.
He wid rake hell for a bodle / a saxpence.
He widna sell es hen on a rainy day.
He widna pairt wi the reek o es pipe.
He wid sell es grannie if the price wis richt.

SPICK ABOOT SILLER

He wis left a haul / a lift o siller.
He wis in luck - he got a peeled egg.
He thocht he could tak the wardle be speed o fit.
It wid a bin mair luck nor gweed management
    gin he had gotten on.
He wid a been better te keep some o't ahin the han.
It's as weel es father lived afore im.
He sid be able te fork for imsel be this time.
Siller burns a hole in es pooch.
He's haein a job te mak saut til es kail.
He'll nivver mak's plack a bawbee.
He's been misluckit.
He misguidit es siller.
He seen lat the win in amon't.
He seen gaed throu't.
His siller's been ill-haint / ill-hauden in.
He's jist a spen-the-packie.
He's caad es pack til a preen.
His is gaan gear.
He's ridin til es ruin.
He loot the place ging aa te potterlow.
He's hastenin til es eyn like a moch til a cannle.
He's haen a sad doon-come.

SPICK ABOOT SILLER

A'm thinkin he's met the cat in the mornin.
He'll be on es ain cwite tails noo.
He's geen doon the brae.
He's geen fae the haugh / hey te the heather.
He's aa hyter / clean runtit / ill aff noo.
The siller's geen deen.
He's like te brak.
Somebody wis ledgin that he wis nae far fae brakkin.
A some doot he'll fin frost or lang.
He's jist hingin on be the breers o the een.
He's been able te lowp the gutter / the stank.
Fin a man's doon aabody rins ower im.
He's managed te stan oot.
He's come til es heel-happin.
He's come throu the hans o the hards.
He caad es hogs til a heelie mairt.
He micht as weel lat the tow gang wi the bucket.
He's haein a job te raise the win.
He canna haud es heid abeen watter.
He coupit imsel ower the tail.
He's been putten te the door.
He's set doon the barra.
He wis sellt oot stoup an roup.
He's maybe managed te brak wi a fu han.

SPICK ABOOT SILLER

They're thriftless, spenrife craiters.
They're wastrife, beboshin baigers.
They've naething ahin them for as graan's they are.
It wis aye full an fess ben wi them.
It's aye lick an skail wi them.
It's aye daim an laive wi them.
They're livin at haik an manger.
Fit's keepit in at the door gings oot at the winda.
They're jist witterin / livin fae han te mou.
They hiv nae mair nor gang-watter noo.
They're haein te sup oot o a teem cappie noo.
It taks them aa their time te haud the oof
        fae the door.

As ye mak yer bed sae ye maun lie.

My caup's nae aneth their ladle.
Ye're better te pick yer leen / pickle in yer ain
        pock-neuk.

Es uncle wid a left im a something.
A kenna foo muckle, bit it wid a bin wirth pickin
        aff the heid o a midden wi a pair o tyangs.

SPICK ABOOT SILLER

He's aye hintin aboot efter a bargain.
Ye hiv te niffer wi im afore ye can nail a bargain.
Ye'll hae te creesh es loof / glack es mitten
He wis tryin te cowp es horse wi me.
He made a blin bargain fin he bocht that een.
He bocht a pig in a pyock.
A some doot he'll forthink that bargain.
He wis fair diddlet / chettit.
It wis a dasht sook / swick.
He bocht it on tick.
There's been a bit o joukerie-pawkerie there.
He managed te line es pooches.
He feathert es nest.
He got up the blin side o ye.
He cam in ahin ye.
A doot ye sleepit in.
A bocht it ower es heid.
A got the bode o't at twal powen.
Prices are on the hyse.
Prices are on the doon han.
It's the rulin price, acht powen the piece.
Ye'll hae te come an gang a bittie.
That winna mak nor brak ye.
Chap an chuse.   Pick an wile.
Tak yer chyse.   Tak yer pick.

SPICK ABOOT SILLER

It's nae wirth a farthin / a fardin / a maik /
    tippence / a buckie / a damn / a tuppeny damn /
    a docken / a tossel / a preen / an aal sang.
We'll sattle on the slump sum o saxty pown.
We'll steek wir nieves at that price than.
There's ma thoum.   We'll lick thoums on't.
We'll tak a blockin ale on oor bargain.
We'll gree aboot it atween oor twa sells.
A'm jimp o siller eyvenoo.   A canna affoord it.
A'm rale grippit.   A've nae brindle.
We're herriet wi cesses.
He rypit es pooches bit he hidna eneuch te pey
    the full price.
A'll pey ye fin aabody peys ither.
He fummlet a saxpence oot o es purse.
A've nae coppers on ma - only fite siller.
He aye leaves es siller in es ither pooch.
A bet ye a pown.   Hauds ye.

There's plenty o chep johns at Turra market.

Mony a een wid dee a gweed turn gin it warna
    for the ile an the tippence.

SPICK ABOOT TRADES
SPICK ABOOT TOOLS

Fencer :
    Mell haimmer; pinch; tramp pick; peer man.

Mason / steen mason :
    Mason's mear; mason's siege; reel; drove;
    pincher; peener; trooel; float.

Slater / tiler :
    Gaberts; ripper; slater's haimmer; chalk line.

Smith / blacksmith / burn-the-win / fite iron man :
    Haimmers; risp; skivet; studdie; swedge;
    turkas; vice.

Souter :
    Souter's deevil / deil / fit; awls; petrie bowie;
    fit fang; rosety eyns.

Steen-knapper :
    Catchie haimmer; kevel haimmer.

Teyler / whip the cat :
    Needles; preens; shears; shewin machine.

SPICK ABOOT TRADES
SPICK ABOOT TOOLS

Vricht / mull-vricht / wheel-vricht / jiner :
    Bass; bow-saa / rip-saa / crosscut / tenor saa;
    jinter plane / halflin plane; elshins; chisels;
    claa haimmer; moose; risp; spokeshave;
    set-steen; strippin block; bench; vice; wadge.

Cooper :
    Eetch; plucker; scillop; shavelin.

Other tools :
    Ex; grin-steen; heft / haft; labrod; bishop; beetle;
    lang-shankit haimmer; lether; level; runch;
    foot-print; search; straucht-edge; shouther-pick;
    spaad; graip; fork; shuffle; barra; han-barra;
    cran; block an taickle; Rob Sorby.

It's a fine thing for thingin things an borin holes
    in the dark.

Fin ye shairpen the chisel / ex / plane mak sure
    an gie't the richt cannel.

SPICK ABOOT WIRK

Yer ain han's siccarest.
If ye wint a job deen an weel deen, dee't yersel.
Maun dee's a gweed maister.
Weel begun is half feenished.
Weel planned wark is half deen.
Fit's deen is nae te dee.
Fit's weel deen's seen deen.
An oor in the mornin is wirth twa at even.
Hard wark's nae easy an lazy fowk tak ill wi't.
Hard wark's nae easy an wirkin hard's nae better.
Saft hans dinna pit siller in yer brick pooch.
Slow at maet, slow at wark.
Mony han's mak licht wark.
The mair cooks, the waar kail.
The mair hurry the less speed, like the teyler /
    souter wi the lang threed.
Slow but sure, like drunken Geordie Pirie.

For ilk een that's willin te bishop,
There's plenty aye ready te pech.

Fin Adam dellt an Eve span,
Fa was then the gentleman.

SPICK ABOOT WIRK

A'm jist aye at the daily darg.
A'm at it daily day.
Caa awa than.   Caa yer gird.   Caa canny.
Haud yer heid te the hill.
Cast yer sark till't.
Rowe up yer sark sleeves.
Pu up yer briks.
Stick in noo.   Peen in, min.
Pit tee a han.   Birze min, birze.
Yoke tee till't.   Yark intill't.
Gie't a gweed owergyaan.
Use some elbow-grease.
Dee't the richt gate.
Div ye nae ken the wye te dee't?
'at's nae the wye o't / the road o't.
Gie's a han.   Haud tee the back chap.
Tak yer thoum-han till't.
Ye've tint the fang o't.
It taks a fylie te get inte the stot o't.
Ye seen get eest wi't.
Watch an nae bucker the job.
Pit yer best fit foremost.
Ye'll be aa richt fin eence ye get drauchtit.
It'll tak putt an row te get it deen.
A'm at a back te ken fit wye te dee't.

SPICK ABOOT WIRK

A'm fair forfochen.   A'm clean connacht.
A'm near foonert.   A'm fair defett.
A'm jist wabbit.   A'm dirt deen.
A wis clean jabbit / jaskit / jaupit / disjaskit wi
    aa thon wirk.
A didna think it wid beast ma.
A'm dreepin wi sweat / swite.
It taks the gweed o ye.
It fairly caas the pish fae ye.
A'm oot o pith.   A'm tyke-tiret.
A canna dee muckle mair nor jist jot / jotter aboot.
A jist hiv te tire an faa tee again.
A'm nae tiret, jist weariet.
A'll need a fylie te recreat masel.
Fin eence we're feenished we'll hae a rist.
Ma broken airm's a sair doon-drag te ma.
Gaitherin tatties ye're boo't twa-faul.
A'll hae te flype doon an hae a rist.
We're nigh-han feenished.
We're wearin throu't.
We've near gotten te the hinner-eyn o't.
We'll get it deen throu time / come time.
'at's gien't a fleg.   'at'll dee eynoo.
'at'll haud's gaan.   We've gotten't by-han.
It's lowsin time.

SPICK ABOOT WIRK

He's a graan wirker.
He's nae wintin feerich.
He his plenty fyarrach te taickle the job.
He's on for tryin te dee't.
He's ettlin te get startit.
He's a forcie / frothy lad.   He's a caa-throu.
He's a bensin chiel wi the wark.
He his plenty o throu-caa.
He comes a great speed.   Nae snifflin wi him.
He raiks on at a great rate.
He disna lat the girse growe aneth es feet.
He's aye vertie.   He's aye afore-han.
He beet te be aye first.
He's aye weel tee wi the wark.
He likes te be weel forrit wi the wirk.
He's nae te haud nor bin.
He gings at it wi a pirr.   He links at it.
He lunners on / pelts on at a great rate.
He fair legs on wi the wark.
He gets throu a tear o wark.
He's aye mangin te get on wi't.
He rives at the wirk.   He wirks like a hatter.
He goes at it like fire an tow.
He tears at it.   He timmers up.
He keist es jaicket an yarkit intill't.
He's a chiel that's aye vrocht hard.

SPICK ABOOT WIRK

He took in han te dee't.
He's a dab han at it.
Nae seener said nor deen.
He's nacky wi es hans.
He niddles awa at onything fykie.
It's a footerie kinna jobbie.
It's fykie wirk - like ettin broth wi a fork.
He's aye teen up wi onything new-fanglet.
He's aye fest wi something or ither.
He's aye in a futher / a bizz / a steer.

He's won on for foreman.
He's gotten on the pickie-say.

She's an eident craiter.
She his gweed hans on er.
She disna ett the breid o idlecy / idlety.
She's nae een te haud doon the deese.

SPICK ABOOT WIRK

It's cheuch / teuch / tyeuch wark.

It's dreich wark.   It's a sair fecht.

It's a weary wochle.

He's haein a sair chauve / kyauve / tyauve.

He's aye in a trauchle / pilget.

He's gey sair made / sair hashed / trauchlet.

He's aye in the tag / nivver oot o the drag.

He's haein a hard strussel te get throu wi't.

The peer chiel's ower sair vrocht.

He hisna gotten the hing o't / the set o't.

He's nae great sticks at it.

It gaed up es back.   He's pichert.

He's aye in a kirn / a picher.

Instead o wirkin awa canny like he gets in a
    feerich an fummles the job.

He daes things be stots an bangs.

He's an aafa lad te footer / fyachle /pirl / scutter /
    skitter / snuiter aboot.

He's aye ficherin aboot wi something.

He maks sic a fiddltie-fa aboot ony jobbie.

He's never gotten oot o the bit.

He's aye hurlie hinmaist.

He's aye ahin han. He's aye at the heels o the hunt.

He's like the coo's tail - aye ahin.

He's aye hingin on / sittin in the britchin.

He's sair hauden doon be the bubbly jock.

SPICK ABOOT WIRK

He's aye buckerin / daidlin / daublin / diddlin /
    diddle-daddlin / ficherin / footerin / gutterin /
    kirnin /picherin / plaisterin / puddlin /
    sotterin / tooterin at something.
He's a bit o a tooteroo.
He's an aff-pit / a by-pit.
He's a Jock / a man o mony morns.
He's a clumsy hawmer.   He's a hanless dreetle.
He disna like te fyle es hans.
He jist fussles on es thoum.
He hisna muckle pith / gurr / smeddum.
Pure damt sweirtie / idleseat - 'at's fit's vrang wi im.
He's a fauchinless / fusionless / saurless :
    blunk / blunkart / picher / sneuter.
He hisna got the pith o a sookin teuchat.
He's sae fushionless he cudna haul a kipper
    aff a plate.
He hisna got the spunk o a loose.
He's an easy-ozy kin o a lad.
He'll never full es father's sheen.
He'll nivver set the heather on fire.

She's an eeseless, hanless tawpin.
She's an ackward myakin / taupie.

SPICK ABOOT WIRK

Ye're an aafa lad for pitten aff.
Ye aye pit aff time fin ye sid be wirkin.
The fire-edge seen wears aff o ye.
Ye growe tiret or ye're lang / weel begun.
Ye're stannin aboot there like a fart in a trance.
Ye spen ower muckle time loutherin aboot.
Wi aa that diddle-daddle it's nae muckle winner
    ye hinna gotten throu wi't.
Ye're sae latchie / latchin / snifflin A winner
    ye get onything deen.
If ye leash at it it'll seen be deen.
Fit's hinnerin ye.
Nae deein't richt the first time jist maks
    twa-hannit wark.   Ye're ower hashie.
A bittie forethocht wid a saved ye aa that bather.
Aye in a hurry, aye ahin.
Yer fingers is aa thoums.
Fit a' ye powkin aboot at.
Stan back an lat the dog see the rabbit.
Oot o ma road.
See hauds be yer graip.
Ye sid be wirkin wi aa yer pith.
Ye winna get it clean unless ye fauch it.
Gin ye've tint it ye'll hae te fork for't till ye fin't.

147

SPICK ABOOT WIRK

We'll hae te start at creek / skreich o day.
Fess yer gibbles.
We canna hing aboot here aa day.
We'll wirk awa oorsel / wirsells twa.
It keeps ye oot o langer, haein te wirk.
A've deen't a time or twa.
Fin eence A redd ma fit A'll get on wi't.
We can get it deen in the by-gaan.
We'll manage that jobbie efterhin.
We'll get it deen in a clink.
We'll be throu't in clippin time.
We've faan ahin - we maun taickle the lie-by.
We'll be gey hashed te get it deen.
We'll hae te haud on the dirry.
We've gotten ower't wi a pech.
We've gotten throu a gweed dreel o wark.
We'll get the force o the wark deen gin lowsin time.
We'll manage somewye or ither.

This winna pey an keep the craft.
This winna buy the bairn a new hippen / pram.

We're nae biggin kirks nor placin ministers.

SPICK ABOOT DAMAGE

The machine's daimisht / roosty / ireneerie.
It's bogshaivelt / camshachlet / connacht.
The wheel's aa boo't / gee't/ camsheugh.
It's geen aa te crockanition / potterneeshin.
It's geen aa wirth.   It's geen te the gowf.
It's oot o clink.   It's malagruized.
It's aa oot o ether.   It's aa in shaps.
It's haen the intimmers teen oot o't.
It's aa te sticks an staves.
It'll be a gey job te sort it.
Ye'll be able te faik it up ae wye or anither.
Can ye nae get it te jeck wi ye.
Ye've gotten the hale thing oot o reel.
'at's fair played up wi't.
Ye've caad it in aa skyow.
Squaar the thing up a bittie.
It's nae eese athoot that bit - it's the very dock-nail
    o the thing.
Ye've gottent the wrang wye roon.
Tichen the nit an see gin that'll haud it.
Maist o them's damisht.   Wile oot hale eens.
The bowie's ower gizzent te haud watter.
Ye'll hae te get it bandit/ girdit / hardent.
The watter's scootin oot o the tap.
Pit a shangie on te stop the leak.
Yer teel's as muckle eese as a straucht hyeuk.

149

SPICK ABOOT MUDDLE

Ye've gotten things in a richt brolach / bummle /
    fankle / kirn / quigger.

It's a richt maschle / meeschle / mish-mash /
    mixter-maxter / mixtie-maxtie / reel rall /
    squeeter / jummle.

It's aa throuither.

Sic an untidy bulget / dilgit / dulget / dunshach /
    fussoch / hushoch / toosht / tooshlich o cloots.
Ye micht knitch them up kinna tidy.

Ye've wun yersel intil a raivellt pirn.
It's in a proper snorl. It's aa raivellt.
It's jist eeseless trock / orrals / peltry / rooshter /
    rottacks / rubbish.
There's a smytrie o aa kin o trock in there.
It's like lookin for a preen in a hey ruck.
It's sair needin a gweed redd up / snoddie up.
Keep a thing seeven ear an it'll come in handy
    even if ye never get a eese for't.

SPICK ABOOT MUDDLE

He reemaged / reemished / reenged / rinkit /
    scunged / squeenged aa throu the hoose
    bit he coodna lay han on't.

She lookit as gin she hid faan fae the gled's claws.

SPICK ABOOT MESS

It's a fool:
    clart / clort / clorach / clotch / clype / clypach /
    clyter / keeroch / kirn / poach / sclatch /
    slorach / soss / sotter.

It's a fousome, scunnersome mess.
The place is like a midden / a shitehoose.

SPICK ABOOT COMIN AN GOIN

Faar a ye gaan?
Turra, Turra, far sorra ither.
Fan will ye be gaan?   Fin A'm ready.
A'm awa te Buckie te bottle a skate.
Faar diz this road tak ye?
Oh, this road taks ye jist aawye.
Foo far is't te Huntly?   A fair bittie.
Aiberdeen's hyne awa.   Glesga's hyne hyne awa.
A dyang te the toon ence in a fyle.
A gyang t'the toon noo an an / noo an again /
     at a by-time / at an antrin time.
It winna be lang or we win doon te Banff.
A'll jist haud hame te Turra.
He's geen aff o the earth an doon te Buchan.
Back te porritch an aal cleys.

We'll weer wir wa.
A'm sweir te set oot.
It's a lang road te win seen hame.

They cam fae aa airts an pairts / fae aawye an athort.
They were gaan hereawa thereawa / back an forrit /
     backlins an forelins.

152

SPICK ABOOT COMIN AN GOIN

Are ye comin oot for a walk?
A hinna been ower the door iss fyle.
A'm nae gettin aboot muckle nooadays.
A'm nae gaan maleen.
A'll be wi ye in a wee meenitie.
A'll be there anoo / eynoo / eyvenoo.
A'll be wi ye in a couple o hurries.
Hover a blink an A'll be wi ye.
Wyte on's.   Wyte on me.   Wyte on ma.
Tak yer hurry in yer han.   Tak yer time.
Wyte or A get ma beets on.
We'll tak a taik doon the road.
We'll traivel / tak a step / tak a stot doon the road.
We'll tak in the road.
We're ready te set aff / set awa.
We've gotten roadit.
Lat's hae a dauner up the road.
We'll tak the laich road if that's aa richt.
We'll jist stavie / stoy throu the park.
We can tak the near cut throu the park an
     ower the slap.
We'll clim up te the tap o the knowe.
We gaed for a walk up the breem braes.
It's a weel paddit / weel pattert roadie.
We can sky aboot fin we get up there.

SPICK ABOOT COMIN AN GOIN

A'll meet ye half wye te the brig.
A'll ging half roads wi ye.
We forgaithert at the brig.

A fell in wi im.   A met in wi im.
A cam tee wi im.   A cam tee til im.

A'm nae gaan nae farrer.
A winna gang the length o ma fit farrer.
A'm nae gaan widin throu the dubs.
Wile the road.
A wis switherin whether te gyang this wye.
Follow me an yer tackets winna roost.

A'll hae te be makkin roads / makkin tracks /
      takkin hame-wirth / gyaan hame-with.
It's time te be haudin in the road.
We're nae comin muckle speed.
We're winnin forrit like a snail at the gallop.
Ye're swacker nor I am.
Sit doon on yer hunkers an tak a rist.
We'll sit till it come time te gang hame.
A'm hinnerin ye / dachlin ye.
Wi lyterin aboot we'll be late hame.
Haud yer watter.   Heelie min, heelie.
We canna gang ower there. It's owre far awa.
We'll mak the day an the journey alike.

SPICK ABOOT COMIN AN GOIN

He wis uptail an awa.   He walloped awa.
He wis goin at an aafa lick / scour
                at a gey bung / clip
                at the ever leavin
                ding dang / hale hole / hale tare
                het fit / fit for leg / ram stam
                like aa that
                like a bat oot o hell
                like blue win / like wildfire
                like heich-ma-nannie
                like the deil o meenlicht
                like the hemmers o hell
                like a shot oot o a gun
                like spottie wintin the tail.
He wis bensin / breeshlin in the road.
He wis comin at howdie haste.
He wis fleein like te redd fire.
He gaed aff loupy for spang.
He ran as though Aal Nick wis at es back.
He's rinnin on ribbons.
He wis roosin on at some speed.
He wis goin for aa he wis wirth.
He gaed trytlin in the road.
He took throu the closs.
Ye couldna see im for styoo an sma steens.
They disappeared like snaa aff a dyke.

155

SPICK ABOOT COMIN AN GOIN

We'll hae te pit in a fit / a step.
Pit yer best fit foremost.
Ye're bappin on / clenchin on / clinkin on /
    dytin on / leatherin on / leggin on.
Hing in min, dinna be sae latchie / latchin.
Pey on / spaad on / spang on.
We'll need te hill on / skelp on.
We'll be there in a clap / a rap.
We got there at the clip / in clippin time.
If ye get there first jist chaa yer cweed or A turn up.
A canna haud up wi ye.
A houp ye winna hae an onwyte.
A got there ahin han. Ye've won this length.

He hunn't the laad fae the place.
He's haen te flit es kist-neuk.
They did a meenlicht flittin.
He skidadlt / took leg bail.
He skiced aff an jinkit the bobbie.
He loupit the dyke an wis naewye te be seen.
He wis lirkin ahin the strae soo.
They were jeukin aboot amon the rucks.
He wis hurklin alang the dyke-side.
Bob doon.   Coor doon.   Flap doon.
Hunker doon.   Coorie doon.   Coorie hunker.

156

SPICK ABOOT COMIN AN GOIN

He's an aafa lad te reenge / screenge / squeenge /
    squeerie / traik / trail / traipse
    aboot the countryside.

He's aye daikerin / stravaigin aboot.
He's aye on the leg / the vyaug.
He's aye on the haik for something or ither.
He disna sattle. He flichters / flirds / skavies aboot.

He haimmers / paumers / plowds / plowders /
    powks / powts / schamlichs / sclaffs /
    sclunches / scushes / shammles / shouthers /
    skleushes / slewies / stilps / stodges / stowffs /
    stramps / stumparts / stumpers / stumps /
    styogs / wochles alang.
He jist manages te hipple / hirple alang.
He louthers / lyters / mollachs aboot.

He wis daverin / dytin / ditterin / hyterin /
    staucherin / stummlin / styterin aboot.
He wis sclaffin / sclafferin / sclappin / sclypin
    flat-fittet alang the road.
She cam clypin / flodgin / hutherin up the street.

SPICK ABOOT COMIN AN GOIN

He's clyterin / pleiterin / plowderin /
    plowterin / plyperin / skleuterin /
    widin aboot in the weety grun.

He managed te sprachle oot o the swyle.
He wis sprawlachin / wallochin / wallopin aboot
    in the moss-hole / peat-hag.
Ye hiv te keep te the roadie fin ye're gaan throu
    the hobble-bog.

Fin the shelt ran aff he made a breenge at it / gaed
    brent at it te stop it.

The wye he wis swaverin aboot A thocht he
    widna get across the road.

We'll hae te shank it.
We'll jist tak Shanks's pony / Tamson's meer.
We got a hurl in the gig / the machine /
    the motor / the shandry-dan.
Ye get a dirdie hurl in the cairt on this roch
    trinkit road.
He's awa te the mart in es gig / spring cairt.
She rade sidelegs on the horse.
He rade stridelegs / stridlins.

SPICK ABOOT COMIN AN GOIN

The bairns skeltered alang the road fin
    the squeel skailed.
They cam flichterin te meet me.
Hearken an skoot afore ye cross the road.
Nae need te skavie / skeich in sic a wye.
The loons is oot on the scaff / skaich.

The plank ower the burn's shakky / shooglie.
The roads is unco skitie / sliddery / slidey /
    slippy the day.

She pursued im sair te gang wi er.
He trystit wi er.

See if ye can catch it be speed o fit.
Pit saat on its tail.

She wis walkin alang wi er Grecian bend.
She had a feeze in er tail wid grin' Jamaica spice.

Gin wishes war horses beggars wid ride.
Them that canna ride maun shank it.

SPICK ABOOT VISITIN

Cry in an see's.   Gie's a caa by.

Look in by.   Look in past.

A hinna seen ye iss fyle.

A ' ve been thinkin lang te see ye .

A've been weary for ye.

It daes ma hert gweed te see ye.

Ye're a sicht for sair een.

A thocht something had come ower ye that
      A hidna seen ye.

A ' m past this wye at a drappit time.

A thocht A wid look in in the by-gyaan.

A'm pleast ye did.   It eases ma langsomeness.

A wis here ma leesome lane / ma leefaleen.

A widna hae geen by yer door.

Come awa in.   Come yer wa's ben.

Come awa ben the hoose.

Come in if yer feet's clean an dicht yer nose
      on the mat.

Doup doon or ye'll crack yer pow on the door-heid.

Haud tee the door.   Fessen the sneck.

Caa tee the door.   A body wid think ye wis born
      in a cairt-shed / a park.

In ye go. The dirt gangs afore the besom.

We'll sit in the room.

Come inte the body o the kirk.

SPICK ABOOT VISITIN

Sit doon an tak the wecht aff yer feet.
Ye're as chape sittin as stannin.
Sit doon.   Sett ye doon.   Loot ye doon.
Clink yersel doon on the deece.
Lene on the sofa.   Sconce yersel on the cheer.
Meeve ower a bittie.   Hirshle ben the deece.
Haud ower the bed a bit.
Hirtch forrit an A'll pit a cushen at yer back.
Sit in aboot te the fire.   Come an get a heat.
A'm jist sittin here at the cutchack.
We're sittin codgie at the fire.
It's a reevin fire / a bonnie peat-greeshoch.
Sit oot ower fae the fire or ye'll birstle yer legs
      an get them aa marled.
Mak yersel at hame (for A wish te God ye wis).
Ye'll tak a cuppie.   The kettle's on the bile.
Gin ye'd faan in the door ye wid a bin owre late.
Is yer tay aa richt?   Is yer cup oot?
A'll need the lavvie / watery / John Gunn.

He's makkin imsel at hame.
He put es feet on the mantelpiece an spat in the fire /
      an caad the cat a bugger.
Fin eence he got sattlet he widna budge the breeth
      o's tae.

161

SPICK ABOOT VISITIN

A jist made it eence eeran.
That wis the heid o ma eeran.
A brocht ye that in a present / a mindin.
 That's a something te handsel yer hoose.
Them at come wi a gift needna stan lang at the door.

That's a bilin o tatties te yer denner.
Ye cud hae yer denner wi hiz the morn.

Hiv ye seen ocht o wir freen?
A've seen neither hint nor hair o im.
A hinna seen im sinsyne.
Ye're fidgin fain te gang an see im.
Tell im A wis speerin for im.   Mine me til im.

We're sittin here like craws in the mist.
Yer een wis glimmerin.   A thocht ye wis asleep.
A wis jist dovin there.   A wis haein a gloss.
Ye can bide the nicht.   A'll easy mak a shak-doon.

A manna bide lang.   A winna be bidin nae time.
It's time A wis awa.   It's time A wisna here.
A maun awa.   A'll nee't awa.   It's half ten.
Fit's the caa?   Ye're in gweed time.
Oor knock's a quarter afore the toon.

SPICK ABOOT VISITIN

We'll be sittin here inte the blin oors / smaa oors.
The langer we sit, we're the sweirer te flit.
The langer here, the later there.
A've sitten ma time as mony a gweed hen has deen.
A'll need te be takkin the road.
A'll need te toddle doon the road.
A'll hae te be edgin / wearin awa hame.
A'll hae te tak ma fit in ma han.
A like te keep elders' oors.
A'm supposed te be hame lang or noo.
It'll be dark or A win hame.
Ye'll need te licht yer reekie peter / yer bouet
    te lat ye see the wye hame.
A'll jist tak Macfarlane's lantern.

It's been shortsome seein ye.
Snite the cannle.   Blaw oot the lamp.
Steek the door ahin ye.   Tak the door efter ye.
Hist ye back.   Ta ta.   Wag til er.
Wile yer wye throu the dubs.
A'll see ye past the hens' maet.
A'll see ye in the road a bittie.
A'll convoy ye hame.   We'll hae a Scotch convoy.
Gweed nicht an gweed nippins; fin I get a new goon
    ee'll get the clippins.

SPICK ABOOT VISITIN

At's an aafa nicht.
Ye'll be drookit or ye win hame.
A'm nae sugar nor saut an A winna droon.
A didna land hame till near midnicht.

A'll see ye throu the week.
A'll see ye a week come Monday.
A'll see ye this day acht days.
A'll be there at the chap o sax / at the back o sax.
A'll be there come seeven o the knock.

A'll see ye neist week if A'm spared.
Ay, an if ye're nae A winna expec ye.

The speerin maks aa the difference.
A got a fiddler's / piper's biddin.

SPICK ABOOT VISITIN

The mannie wi the pack is comin in aboot.
Here's the cadger wi es cairtie / the mugger /
    the pig an ragger / the fite iron wife /
    the wifie wi the besoms.
We've haen a lot o gangrel bodies in by.
There's been some tinkies roon aboot.
We hid a visit fae the spae-wife.
Fit did the spae-wife tell ye?
Aa kines o lees nae doot.

We're expectin the whip-the-cat the morn
    so the hoose'll be in a steer.

The fish-wife comes roon wi er creel an baskets o fish.
It's a lang road te come.

Is yer man in aboot?
He's oot aboot / oot by.

There's somebody knappin at the door.
Tak aff yer heid an chap on the stump.
Gweed be here. It's the minister.
He's as welcome as snaa in hairst.

SPICK ABOOT THE HOOSE

The hoose / fire-hoose is biggit o steen an lime.
It's slatit an sneck-harled.
It has a bourtree at the gale an a roddin tree
    an a wid-bin at the door.

The kitchie has a flaggit fleer.
There's a bink at baith sides o the fire an a swey /
    cran ower the fire wi a swey chine an cleek /
    crook / byke for hingin the pots.
It has an oven at ae side.

Ben the hoose there's the room that's nae muckle
used except for sittin in on Sundays an sometimes
visitors are teen throu there.   There's twa bedrooms
up the stair an the deem's roomie is aff the kitchie.
There's a milkhoose an a scullery aff the lobby.

The hoose is weel plenished wi beds an fit pans /
box-bed / bun-bed / boushty-ba; caff beds, caff
bousters; dresser, girnal, kist o drawers, press;   kitchie
table;   cheer in the ingle-neuk;   bass-boddomt cheers;
fender steel, three leggit steel / steelie;   bass, clootie
rug. The room has a horse-hair sofa an cheers.

SPICK ABOOT THE HOOSE

The mistress has
pots an pans, tilly / lavin pan, jeelie pan;
knives, forks, speens, tayspeens, cruet;
cups an saacers, plates, milk joogie, ream stoupie;
kettles, trackie, brander, girdle; tyangs, poker,
shuffle; chanty / dirler; frame / yoke for cairryin
pails o watter; bake-brod, roller; bassies, basins;
bally-cog, leglin, milk-bowie, milk bowls,
milk-boyne, skimmer, milk sye, plump churn,
butter brods / clappers / hans; chessel; cleys-screen,
facin iron, goosie; gray-beard pig; bed-pigs; paraffin
lamp; blankets; tooels; face-, han-, dish-cloots;
cheese-cloots; fleer-cloots, besoms; heather reenges;
cannles, cannlesticks.

Roon the side o the hoose there's a lean-tee wi a
biler for the pigs' maet, a coal-hoose an a stick-hoose.
Ayont that there's a dryin-green wi claes-poles.

In the closs there's a waal wi a pump.

SPICK ABOOT THE HOOSE

Roon ahin the hoose there's a yard wi a gean tree,
grosart busses, black-, reed-, an fite-currans an a
fyow bee-skeps / ruskies.
There's a rabblach / rummle o a waa roon aboot it.
There's a bit o a flooer gairden at the front o the
hoose.

Awa at the back there's the larach o an aal
stob-thackit, heather an dub hoosie that's
naething mair nor a reeble noo.

The hoose stans in the lythe o the plantin.
It's a great muckle jam o a hoose.
It's a scouthie place.
They've biggit a new jamb oot at the back.
It's a big doocot for twa doos.
It's an unco gingebreid hoosie.

She'll hae gotten a gweed doon-sittin.

SPICK ABOOT THE HOOSE

The biggin :
The foun.
The waas; easins.
The gale / gaivle; skew, skew-putt.
The reef; peen-reef; reef-tree; thack; thack-pin;
    riggin divots; thack an raip; couples, purlins,
    sarkin; clay tiles, slates.
The lum; hingin lum.
The fleer; jeests, fleer boords.
The ceilin / reef.
The inner waas; plaister on the hard; lath an plaister.
The doors an windas; scuncheons; frames; astragals;
    peens o gless.
The spoots; doon pipes.

Mak sure the frames is parpen.
We'll tirr the reef an pit on new thack.
We'll pit an aal wife / grannie on the lum.
We'll hae te shouther the tiles.
The fleer's reed rotten.   The jeests is mochie.

The door wis wide te the waa.
The door wis yarkit tee.
Sneck the door.   Snib the winda.

SPICK ABOOT THE HOOSE

Cookin :
Mak sure the fire's drawin weel.
Pu oot the damper.   Reenge the grate.
Lat the pot doon a link on the swye cheyn.
Lift the pot fae the swye on te the bink.
Keep the pan hotterin.
Gie the pot a steer wi the spurkle / spurtle.

Plot an pluck the cock.   Skin the rabbit.
We'll mak broth for twa days.
We'll hae yaaval broth on Mononday.
Sproot an pare the tatties.   Hull the peys.
Bree an chap the tatties.
Mouden the fat ready te mak skirlie.
We'll gie them crappit heids te their denner.
Mak a milk pudden.
Fry an eggie te wir tay.
Toast a shave o loaf in front o the fire.
Ye've fairly made mice feet o't.
Grill the herrins on the brander.

That knife widna cut butter on a het steen.

SPICK ABOOT THE HOOSE

Cookin fish :

The hinmaist wird the haddock spak
Wis roast ma belly afore ma back.

Fry ma wime afore ma back
Wis aa the wird the kipper spak.

Roast ma belly afore ma back
An dinna burn ma beens
An ye'll ne'er want fish
At your herth steens.

Roast me an bile me
But dinna burn ma beens
Or than I'll be a stranger
At your herth steens.

Better fish saut nor fish stinkin.

SPICK ABOOT THE HOOSE

Bakin :
We'll byaak some breid.
Mix the meal in the bassie.
Roll it oot on the byaak-brod.
Pit it on the girdle an trim aff the sooie.
Toast the kyaaks in front o the fire.

Makkin jam :
We'll mak jam / jeelie fae berries.
Mak it in the jeelie-pan.
Strain the juice throu the jeelie-bag.
Pit it in jeelie jars an cover them.

Cairryin watter :
Ging te the waal for a draucht / fraucht.
The pump's oot o fang.   It needs primin.
There's only a dribblach oot o the spoot.
Kep the watter fae the spootie.
Ye can hear the lapper o the watter in the bowie
      fin ye gie't a showd.
Lave the watter oot o the bowie wi the tilly pan.
The watter wis glockin throu a hole in the bowie.

SPICK ABOOT THE HOOSE

The fire :
We'll keep the hoose fired.
A dinna like comin hame til an oot fire.
Pit tee the fire.   Kennle the fire.
The fire's reevin.   It's a bonnie greeshach.
Rosety reets / fir knabblichs gies a fine bleeze.
Gie the fire a pirl.
A can fin the smell o reek.
That reek's snell.   It gars yer een watter.
The fire's makkin an aafa smuchter.
The lum's nae drawin weel.
The lum wis reekin like te scomfish / smore ye.
The rick's comin yoamin oot o the lum.
An aafa sitt cam doon the lum.
The kitchie's smuchty / reekie / rickit.
The lum's in a lowe.
Throw some saut on't.   At micht pit it oot.
Reest the fire.   Lat oot the fire.
Riddle the danders / shunners.
Clean oot the aise.
Hack some sticks.   Mak a pucklie kinnlin.
Fess in some peats / coal.

It's a weel pitten tee fire that naebody sees the reek o.

173

SPICK ABOOT THE HOOSE

Cleanin :
The pots is gey brookie. Gie them a scour.
They'll need a screenge wi the scrubber /
    the heather reenge.
Black leed an polish the range.

There's a gum on the winda.   It needs a dicht.
Caa doon that wyver's wob.
Clean the caddis fae in ablow the dresser.
Gie the fleer a bit scuff wi the besom.
Sweyp an sweel the fleer.   Teem the chanty.
Gie the kitchie fleer a scrub an a dicht.
They've made a richt sotter o yer clean fleer
    wi their clorty beets.

The kitchie deem wis scuddlin at the sink.

That neeper o oors keeps a hoose like a byre.

Spring cleanin's sair wark.
A'm that tiret A coodna tell a bee fae a beetle.
Gin yer bed's nae made ye'll jist need te creep
    in as ye crap oot.

SPICK ABOOT THE HOOSE

Washin :
Naething's fool that watter washes.
Soap weers an dirt rots.

Wash the cleys in the bine / boyne.
Feeze up the washin.
Vring oot the washin an hing it on the line.
The washin's hingin on the ropes like bells that
    nivver rang.
The washin's flafferin in the breeze.
The blanket'll tak a fyle te dry.
Hing the cleys on the tirlas te dry.
A birstle afore the fire'll seen air them.
We'll get the irenin deen or lang.
We use the box iron an the goosie.
Ma sheets is covered wi flaesocks / smirds.

Ye canna be jamphin fin there's a day's washin
    te be deen.
It fairly taks the fushion oot o ye.
Abit ye get throu wi't.
A'm needn't aa.

SPICK ABOOT THE HOOSE

Washin :

The wife that washes on Mononday
Gets aa the week te dry.
Her that washes on Tyesday
Isna that far bye.
Her that washes on Wodensday
Micht be an idle dame.
Her that washes on Feersday
Is something o the same.
Her that washes on Frayday
Has little pride I wot.
An her that leas't till Setterday
Her cleys maun be sair nott.

Or:
Her that washes on Frayday
Has little skeel indeed.
An her that washes on Setterday
It's jist a dud for need.

SPICK ABOOT THE HOOSE

The milk :
Milk the coo inte the cog / the milk pail.
Milk the een that kicks inte the tilly pan.
Drib / strip them weel.
Gie the catties a suppie.

Sye the milk.   Lat it sett in the bowl / bine.
Skim the milk.   Ream the milk.
The cream's lappert ready for makkin butter.
Plump the churn / caa the churn till the milk braks.
Separate the butter fae the butter-milk.
Mak the butter wi the brods / clappers / hans.

The neist bore te butter an that's ream at the brakkin.

Yirn the milk wi rennet / yirnin.
Squeeze the fey oot o the croods.
Mak croodie.   Mak a hangman.
Mak a cheese in the chessel.
Mak new cheese wi beistins.

SPICK ABOOT THE HOOSE

The eggs :
Tak the maet oot te the hens.
We'll need te gie them some grit.
The hens is layin weel eynoo.
Een o them's layin awa.
The pullet's laid a win egg.
Full an egg wi mustart te learn the dog
    nae te ett the eggs.
The hens hiv geen aff the lay.
The egg-siller peys for maist o wir eerans / messages.
We'll set doon some eggs in water-gless.

Pit a settin o eggs in below the clockin hen.
Min an pit an odd number o eggs or they
    michna dee weel.
An dee't efter the sin's geen doon or the
    chuckens mith be blin.
Aa in thegither, aa oot thegither.

A've set a hen wi nine eggs,
Muckle luck amon er legs,
Doups an shalls gang ower the sea,
Cocks an hens come hame te me.

SPICK ABOOT THE HOOSE

The bees :
The bees is bykin.
There's a swatter o them in the tree.
We'll skep the swarm.

Pit an eke on the bee-hive.
Tak the hives up te the hill te get heather honey.
Tak aff the frames an extract the honey.

The gairden :
Hiv ye gotten yer tatties in?
Are yer seeds doon?
Dell / hole / howk some tatties.
A'll gie ye a bilin.
The floories is aa wallan.
Watter them wi the rooser.

SPICK ABOOT THE HOOSE

Shewin an wyvin :
A jist tak ae cloot te men anither wi.
A'll shew a patch on te the loon's backside.
A'll pit in a steek te haud it thegither.
A'll turn the sheets side te middle.
A'll need a pirn o threed an ma thummle.
A'll darn yer stockins te ye.

Ye're wyvin awa at yer shank.
A'm wyvin stockins oot o this clew o wirsit.
A haud ma weers in the sheath.
A've loot doon a stitch.
The cat clookit ma knee.
Raip oot the aal jersey.
Win the oo inte clews.
A'll hae te get twa-three cuts / hanks o oo /
         fingerin / fower-ply.

SPICK ABOOT THE HOOSE

The messages :
A'm gaun te the shoppie for ma eerans.
Fit a ye wintin the day?
A'm needin a mullie o mustart an a tinnie o spice.
See tippence wirth o broken biscuits.

Gettin tidiet up :
A'll gie masel a redd up afore wir visitor appears.
Gie yer face a bit dicht / a cat's lick.
Spruce yersel up.
Wash yer face an gie the soo a drink.
Ye've been lang eneuch crulgin doon there on yer
    curriehunkers in front o the fire.

Pit oot the lamp - there's nae eese o' burnin daylicht.

At nicht :
A'll need the blink o a cannle te see fit A'm deein.
The cannle's flichterin wi the draucht.
Pit the cannle-doup in a saacer.

SPICK ABOOT THE FERM

The place :
It's a place o aboot a hunner acker.
It's an ae pair placie.
It's a fower pair toon.
They wirk twa pair an an orra beast.
It's a brae-set kinna place.
Some o the grun's rale stiff.
Some o the parks is gey steenie.
Some o the parks is pretty strait.
It's a gey peer craftie.
It's a hill-run kinna place.
It's a thin bare scaup at the tap o the knowe.
It's an ill tak that wints a tenant.

He's the ingaan tenant.
He his a gweed infit wi the laird.
He'll hae gotten an easy ingangin.

There canna be muckle o a livin aff o thon craftie.
His granfaither brak the grun in fae the heather.
He put up es ain biggins o steen an clay.

SPICK ABOOT THE FERM

The men :
He's grieve; foreman; horseman / plooman;
    bailie / byreman / cattleman; shepherd;
    orraman; strapper; halflin.
The toonsers caa him a countrifeed chiel /
    clay davie / country Geordie / country Jock /
    geeskin / heather-louper / heather-piker /
    Jock-hack / muck aa / muck-the-byre.

The cottar's fee is fae 'ear te 'ear.
The single men are fee'd be the half 'ear.
The single men are kitchied an they sleep in
    the chaamer.
The kitchie deem maks their maet.
It's an acht day place.
It's a change o Deil bit aye the same hell.
They sit on the corn-kist in the stable, polishin
    harness, singin corn-kisters an dirdin their
    beets on the corn-kist.
A'm keepin toon.   A'm toondie neist Sunday.
Will ye bide?   Fit fee are ye seekin?
He's gotten a clean toon.
Are ye takkin a hairst?   Hiv ye gotten a fee?
A'm gaan hame te Mains o Backchines te
    riddle hens' dirt.

SPICK ABOOT THE FERM

The parks :

We'll tak a styte roon the parks.
That's a gweed sole o girse.
There's a routh o foggage doon here.
The beese shid hae scowth an rowth there.
We'll hae te hain some o the girse for efter.
Sharn fairly maks gorskie / goskie girse.
We've gotten a flush o girse efter aa thon
    weety weather.
The girse is bobbin / bobbit.

It's a peer feuach at the tap o the knowe.
It's a gey rashy park.
The laich grun's gey weety wi a growth o reesk.
The gushet o sprots comes in handy for thackin
    the rucks.
We'll need te be sneddin the thristles.
We'll hae te cut funs.
The burn's chokit wi goor efter the snaa.
The grun at the burnside's rale hobblie.
We'll hae te redd the ditch.
The mowdie's been plooin yer parks.
We'll hae te get the molie.

184

SPICK ABOOT THE FERM

The grun :
We'll teem the midden an caa oot the muck.
Coup the cairt an lat the muck hirschle oot.
Haul the muck aff the cairt wi the cleek.
Brak muck.

There's a fair puckle ley arnuts in the park.
There's some bumlies o steens as weel.
Pry oot that muckle steen wi the pinch.
Hyste it on te the puddock / paddy barra.

Ploo the ley / clean grun / clean lan / stibbles.
Pit up the feerin poles / divots.
Set up a feerin.   Get the lan drauchtit.
Caa the ploo; haud the ploo; grip the stilts.
Throw the furr; gie the furr mair cam.
Pit on mair lan; pit on mair yird.
Gie the ploo gurr.   We'll use a sub-soiler.
Turn the ploo at the fleed / the eyn-rig /
    the heid-rig / the fit-rig.
Full in the mids.
We brak-furred an coup-fauched it / gied it a
    coup-facken at the back eyn.
Some fowk jist rib-ploo.

SPICK ABOOT THE FERM

The grun :
We brak / mak the grun wi the grubber / brake /
    spring tines / harras / links.
The grun's gey druchtit.
It's lappert an ill te mak.
We'll gie't a gweed fauchen wi the harras.
We'll cross-harra't / gie't a steer / screef.

The park's a delf o weeds.
The grun's feltit up wi weeds.
Ae ear's seeds means seven ear's weeds.
Gaither growth an burn't fin it's dry.
Mak a growth midden in the neuk o the park.

The tatties :
Mak ready the tattie setts.
A'll gie ye a settin o tatties.
Roll the grun.   Dreel the grun for tatties.
Spread muck in the dreels.
Plant them a fit apairt.
Hap them in / furr them up.
Burn aff the shaws.   Grub up the tatties.
Dig them wi a tattie deevil / tattie digger.
Gaither them wi sculls. Pit an hap them.
Dress / riddle them.

SPICK ABOOT THE FERM

The neeps :
Roll the grun.   Dreel the grun for neeps.
Saa the neep seed wi the Bobbin John /
      the neep machine.
The neeps is stringin.   They're comin awa noo.
They've gotten a set wi the caal.
They've come te the hyow. We'll single them.
We'll second hyow them. We'll shim them.
We growe yalla neeps / swads / mangolds.
The neeps is beginnin te swall.

Yark up the neeps.   Pu them wi the cleek.
Heid an tail / tap an tail them wi the tapner / tailer.
Leave them in raas ready for loadin.
We'll tak hame twa-three cairt-drauchts.
Caa them te the neep shed in the cairt wi
      the shelvins on.
We've fordelt up a gweed stock in a pit in case
      we get a storm.
Hash the neeps wi the plump hasher.
The neeps is knottit.
The neeps hiv geen fozie.
That's a richt bumlie / bumler / bummer / dodgel /
      knapdodgel / knapdodgik / rorie o a neep.

SPICK ABOOT THE FERM

The hey :
Cair the clover an girse seed thegither.
Shaav it wi the mither crap.
There's a raff o hey.   We'll get a second crap.
Mow the hey.   Leave it lyin in the bout.
Turn the swaths an leave them te win.
Spread the hey wi the kicker.
Gaither the swaths wi the tummlin Tam.
Fin it's wun, coll the hey.
Drag the colls an mak them inte tramp colls.
Big it on te cairts an tie the load doon wi a girdin.
Big it inte scroos / rucks.
Gaither up the rakins wi the smiler.

The flax :
Ye hiv te pu lint up be the reets.
Ye dinna cut it.
Steep the lint in the lint hole te rett.
Tak it te the lint mull te be heckled an
    made inte linen threid.

SPICK ABOOT THE FERM

The corn / barley / bere :
Mak the seed-bed an spread manure wi the
    bone Davie.   It's saain / shaavin time.
Cairry the seed corn oot in the ruskie.
Shaav the corn wi a happer / a sawin machine.
Harra in the seed an roll the grun.

The corn's briert.
That park's lookin greenichtie a'ready.
The craps is raffie the 'ear.
It's a fair-gyaan crappie.
It's kinna fenless at the tap o the hill.
The knowe's ill for castin the corn.
It's short in the strae wi the drucht.
We're sair needin a gweed sup rain.
The corn's shot.
It's a gran stan o corn.
There's a gey lot o knot-girse / runch / thristles
    amon that crap.
It's gotten a shakkin wi the ween.
It's gey sair laid wi the heavy rain.
It shid gie a gweed fyow bushel te the acker.

We're at the mou o hairst.
The binder's riggit wi the canvasses on.
We've plenty o binder twine.

SPICK ABOOT THE FERM

The corn / barley / bere :
We're gettin yokit inte the hairst.
We'll redd roads / scythe the eynrigs.
Sharp the scythe blade wi the scythe-straik.
Mak a ban an gaither an bin the shaves.
Cut the crap wi the binder.
Mak sure the knotter's wirkin richt.
In the aal days the shearin hid te be deen
    wi the hyeuk.
Stook the shaefs, ten te the stook.
Mak sure ye airt the stooks richt.
The stooks is girsie.   Turn the stooks.
Thristles is jobbie.   Yaavins is kittlie.
We've gotten clyack.

It's a raffy weel-stookit crap.
The corn's birslin / reeshlin.
We'll lead it hame te the corn-yard on the
      cairts wi the frames on.
Fork te the cairt.   Pit fower gyang on.
Gaither the strabs.
Fork te the ruck. Big the ruck roon the bosskill
      on the foon / boss.
The foons is made o dried funs or aal strae.
Hert the ruck weel.
Tak it in fae the easins an feenish aff wi
      the heidin shaef.

SPICK ABOOT THE FERM

The corn / barley / bere :
Thack the rucks wi sprots.
Tie doon the thack wi strae raips / an ether /
    etherins / Glesga Jock.
Swap the raip ower the ruck.
Raip the rucks wi a heckle. Bridle the rucks.
It taks a leash / a lonnach o raip.
Trim the sides o the rucks wi a scythe.
Snoddie up the corn-yard. We've gotten winter.

Autumn has laid er sickle by,
An the rucks is thackit te haud them dry.

Uncle George Wilson's hairst prayer :
Lord sen us nae a rarin, tarin, rantin win
But an oochin, soochin, winnin win.

SPICK ABOOT THE FERM

The mull :
The horse walkin roon the mull-coorse / mull
    rink / horse gyang drives the horse mull.
Watter fae the dam doon the mull-lead turns a
    watter-wheel te drive the watter mull.
Some fowk get the traivellin stame mull.
Cog the mull wheels.
Set on the mull.   Lowse te the mull.
Feed the shaves throu the drum.
Redd the strae awa fae the shakkers an big it
    up in the strae shed.
Big an tramp a strae soo.
Cairry the caff te the caff-hoose in the caff-sheet.
Full the corn inte bags at the shakkin-spoot.
Wye the bags o corn on the stalyard.
Cairry them te the corn laft.
Gie's a hulster wi this seck.
That bag's owre fu.   It's at the lowpin.
Set the mull.

Pit the barley throu the hummeler.
Cuff / winnie the corn.   Pit it throu the fan.
Pit the bag on the orraman an fullt wi a backet.
Full the bushel wi corn an strake it /
    draw the strake ower't.

SPICK ABOOT THE FERM

The peats :
We'll awa te the moss te cast peats.
We use a flauchter spaad, a breist spaad an a stamp
    spaad te cut the peat bank.
Cut the fittock fae the boddom o the bank.
Shift the peats wi a peat barra.
Set them in rickles on the lair te dry.
That win'll seen scroch / scrocken / scrockle the peats.
Cairry them hame in a peat creel.
Lead them hame in a cairt.
The moss road's sae saft the cairt's like te lair
    te the exle.
We'll clood the peats.
Big them intil a peat stack at the hoose.

Ma father sent me te the moss
For te gaither peats an dross
A turnt the cairt an hangt the horse
An fusslet ower the lave o't.

SPICK ABOOT THE FERM

The horse :
The stable has a staa for each horse, a trevis an
 trevis post atween the staas, an a lowse-box
 at the far eyn.
At the front o the staa is the fore-staa an the corn-box.
The helter-shank connects the helter / staa-collar
 throu a ring on the fore-staa te the heavy
 widden sinker / knewel.
There's corn kists in the windas.

Watter the horse at the horse troch.
Feed them wi an oxterfu o hey an a lippie o
 bruist corn fae the corn kist.
Dicht them doon wi a wisp o strae.
Groom them wi the curry kaim an the dandy brush.
Tak them te the smiddy te be shod.
Pit spikes / sharps in their sheen te gie them a
 grip on the ice.
Track the horse. He's been drauchtit.
Yoke the clips / the frog / the orra beast.
He's inclined te be fliskie / skeerie.
He's a funker / a setter. He's ringle-eed.
He's cleekit / eel-backit / halla-backit.
He's needin caukers on twa o es sheen.

SPICK ABOOT THE FERM

The horse :
They're a fine-gyaan pairie / a dandy pair.
They're a chestnut an a blue.
He's the furr beast / lan beast at the ploo.
The horse got kittled up.
He's an aal tag.   She's an aal jaud.
He snappert an fell.
Mink up the reyns.
Haud the hemp on the hair.
Wipp the theats wi bags te haud them on rub
    the horse legs.
Doss up the mane an the tail wi segs.
The staiger's comin in aboot wi the staig.
The mear's in foal.
Lingel / tether the horse te haud im on wanner awa.
Pit them oot te the girse.

Pit ae horse in the traces te hae a double cairt.
Yoke the pair inte the larry.
Pit the orra beast tee til the float.

SPICK ABOOT THE FERM

The harness :
    Cairt and ploo:
Bridle / blin bridle
    bit / snaffle bit
    chowk ban
    heid steel.
Collar / peakit collar. *
Haims / fancy haims; neck strap; breist strap.

    Cairt:
Seddle girth strap; seddle crub.
Britchin.
Endless reyns.

    Ploo:
Back band / back bin.
Theats.
Ploo reyns (a pair).

* Collar put over horse head upside down and then
turned round.

Cowt helter (rope or raip.)

SPICK ABOOT THE FERM

The cairt :
The body / box:
    fore-breist; sides;
    back door / hin door; stoups;
    shelvins; frame;
    exle; garron nail.
The shafts:
    back cheyn; belly band / belly bin;
    slings; swivels; hooks.
The wheels:
    hub / nave; spokes; fillies; rim.

The cairt is licht / heavy on the back.

The ploo :
    swingletrees; ploo slings / hooks; yoke;
    beam; bridle; shackles;
    cuttin wheel; scriefer; cooter;
    sock; feather an bar-point;
    lan side; mould-boord / cleathin;
    shafts; stilts.

They're fond o fermin that wid harra wi the cat.

SPICK ABOOT THE FERM

The beese :
The byre has staas for twa beese wi trevises
    atween the staas.
At the front o the staa there's a haik for strae
    an a troch for neeps.
The sell roon the beast's neck fixes on te the
    slider on the trevis.
The staas an the greip are cassiet.

A bull / coo / calfie / nowt beast / queyack /
    steer / stirk / stirkie / stot / heifer.
The beese / caar / kye / nowt / owsen.

He keeps Ayrshires / Buchan humlies /
    blue greys / Teeswaters / shorthorns.
He has a brandie / brocky / crummie / doddie /
    hummel doddie / riggit coo.

Feed the nowt wi a scullfu / a barrafu o neeps
    an a haikfu o strae.
Cog the calfie.   Spen the calfie.
Sort the beese.   Muck the byre.
Rowe the muck te the midden in the barra.
Bed the beese wi strae.   Sweyp the greip.
He feess up acht caar.   Lib the calves.
She's a fine sappie coo.

SPICK ABOOT THE FERM

The beese :
Pit the nowt oot te the girse.
Gie that stirk a brod te gar im meeve.
Hauᴅ again / kep that stirk.
The beese'll get a rug / a pluck in that park / feedle.
They're huggerin thegither ahin the dyke.
They're lyin in the lythe at the dykeside.
Pit them in the pumphel.
That coo's a haggin breet / an aafa beast for haikin
        aboot / a dyke-louper.
Pit on the branks.
Tether er an mak sure the baikie's siccar.
That queyack's rinkin / rinnin.

Fess the kye in te be milkit.
That coo's ether's heftit.
That een his a blin tit.   The coo's geen eel.
Sit on the milkin steelie.
Milk the fore tits an syne the back eens.
Get a gweed strin o milk inte the pail.
Tak aa the strippins or she'll gang eel.

The aal coo's dee't on's.
She wis a gweed aal beast.
It'll pick yer pooch te full er staa.

199

SPICK ABOOT THE FERM

The beese :
The watter troch in the park's geen dry.
We'll tak some oot in the watter-cairt.
The beese is deein a lot o roarin / rootin / rowtin.
They're dry-haired wi bein oot sae lang.
That stirk's a wee drochle / a peer lank /
	a dorty craiter / a sharger.
The calfie's gotten the scoor / the skitters.
The beese hiv gotten the hoose / the howk.
Some hiv the scaw / the warble / the staggers.
They've been at the claw scrunt / clawin post.
They've got the dry darn / saft darn.
They've gotten the crochles wi ettin crochle girse.
We'll hae te get the ferrier te them.
There's been an ootbrak o fit an mou A hear.
The coo's tail's an aafa mess o knapdarlochs.

Gie the feeders a pucklie mashlum.
A'll get a bowie o black treyckle for them.
The feed's kinna scarce bit we'll eke it oot.
It's the mou that maks the coo.
Better a gweed coo nor a coo o a gweed breed.
An ill-willie coo shid hae short horns.

SPICK ABOOT THE FERM

The sheep :
A ram / tup / yowe / hogg / hogget / gimmer /
    yowe hogg / tup hogg / wedder hogg.
We keep a hirsel o sheep.
It's lambin time.   We've haen a gweed crap o
    lambs - aboot a lamb an a half.
That yowe's had threeplets.
We aye hiv a fewe sic lammies.
We'll cut an dock the lambs.   At's a rig lamb.
The yowe has scrapie / side ill.
They're bathert wi maggots.
We'll pit them throu the dipper.
We'll get the clippin deen.
A baiger o a dog's been worryin the sheep.

The pigs :
A boar / soo / gilt / grice.
A chattie.   Grumphie.
We keep the pigs in the pigs' hoose / reeve.
Feed the brok / the chats te the pigs.
The soo's in pig.   She's haen twal o a litter.
There's near-han aye a dorneedy / runt / sharger
    in the litter.
It's a piner.   It nivver threeve.

There's nae muckle oo fae shearin a soo.

SPICK ABOOT THE FERM

The poultry:
A cock / cockie / cockaleerie / cockmaleerie /
    hen / hennie / pullet / chucken / earock/
    buntin / buntie / drake / deuk / turkey /
    bubbly jock / paysie / doo.

Hish the hens inte the ree / the hen-hoose.
The hens is reestin.
Lat the hens oot te dorb amon the stibbles.
They'll be makkin a hen's craft o't.
Muck oot the hen-hoose an spread the hen-pen
    ower the park.
Pit some caff on the fleer.
The clocker ' s sittin on a lachter o eggs.
The hens hiv gotten the roop.
The turkeys hiv the gapes.

HENS :- Buff Rock. Leghorn. Light Sussex.
    Rhode Island Red. White Wyandotte.

DUCKS :- Aylesbury. Khaki Campbell.

SPICK ABOOT THE FERM

Spick te the horse :
    Hup / come awa.
    Hi / Hi up.   Wish / weesh.
    Wo / wo back / haud back.
    Haud ower min / lass.
    Stan ower.   Haud up yer heid.

Spick te calfies :
    Treesh treesh treesh.

Spick te lambies :
    Sic sic sic siccie-mae.

Spick te piggies :
    Chat chat chat.

Spick te hennies :
    Tuck tuck tuck tuckie.
    Hish hish.

Spick te catties :
    Cheet cheet cheet cheetie-puss.

Spick te rabbits :
    Mappie mappie mappie.

SPICK ABOOT THE FERM

The dogs:
We aye hiv collie dogs aboot the place.
They're fine wi the beese an the sheep.
They're weel-naittert wi the bairns tee.
The dog wis snaggerin at the tinkie.
That's a gurlie tyke ye hae.
He's a foongin brute o a dog.
Come in ahin.

The pests :
The ruck foon wis hobblin / hotchin wi mice.
There's an aafa rottans aboot the place.
We're bathert wi rabbits.
We'll set some snares at the wid-side.
We'll teem oor girns.
We'll try catchin them wi the nets.
There's futrats in the dyke.
The craws is deein a lot o hairm te the corn.
We'll pit up some tattie boodies.
There's a wasps' byke amon the rasps.
We're plagued wi tory worms.
The grun's toriet / tory-etten.

SPICK ABOOT THE FERM

Some jobbies :
It's a day for bidin in the barn twinin strae raips
    wi the thraw-crook.
Een o ye twine the thraw-crook an the ither lat
    oot the strae.
Win the ethers / etherins / girdins inte clues.
Use the threeple thraw-crook te mak horse reyns
    oot o binder twine.
It brings bad luck te trail the raip, twinin the thraw-
    crook withershins.

A'm chauvin te get redd o the yaavins.

Set new cassies / cassie-steens in the greep.
Sort the sheet iron on the reef o the coort.
Pit a dook in the waa te haud the door-post.
Men' the barra-tram.   Sort the scythe-sned.
Shiel the dubs fae the closs.
Pit a puckle corn throu the bruiser.
Clink the girds for the bowie.
Get the smith te lay the sock / the cooter.
Clean oot the mull-lead.
Howk a hole te beerie the deed sheep.
Mak a hole throu the plank wi a reed-het hirschle.

SPICK ABOOT THE FERM

Some jobbies :
We had a melder / maillyer at the meal mull.

We'll pit up a new weer palin.
We'll need stobs an pikit weer.
Get the strainer siccar.   Strait the weer.

We'll big a dry-steen dyke.
Sort the aal fail dyke / swear dyke.

Fess hame the win-casten larick.
The larick's royed.   The aal tree's pumpit.
The aipple tree's a scrab.
We'll saa them up for firewid.
Hack the blocks.   Knack a stick ower yer knee.
Cairry a birn o sticks fae the wid.

We'll hae te sort the road.
It's se trinkit the cairt howthers aboot /
    jags aboot eneuch te caa't oot o ether.
Full the holes wi steens an pit on blindin.

Pu the castocks an syne dell the yard.
Haud in plenty muck.

SPICK ABOOT THE FERM

Some jobbies :
Dress a puckle steens te big the new waa.
Pit bursen ile on the cairt exles te stop them squeakin.
We'll neet atten' te the gaan-gear o the mull.
We'll need a block an taickle te hyse oot the drum.
The stannin-gear shid be aa richt.
Patch up the hole in the stable winda wi a bittie
      fite iron.
Ye'll fin something that'll dee the turn in the shoppie.
We've a hist o trock there.
Clear the flaesocks fae ablow the bench.
Haud yer finger on the bursen pipe an dinna
      lat the watter scoot / scoosh.

We'll get it aa deen in the back-end.

The horseman's word (?) :
Be kind te the mullart but hang the saiddler.
One for all and all for one.

SPICK ABOOT THE SQUEEL

It's time ye wis makkin tracks te the squeel.
Get yersel riggit.
Hiv ye deen yer lessons?
Hiv ye learnt yer carritches?
Say them ower.
Ye can say yer lessons as clear as the A B C.

Hiv ye got yer piece-pyock in yer bag?
Hiv ye yer scaalie an sclate?
Is yer clootie for dichtin yer sclate in yer OXO tinnie?

The loon's a scholar.   He's a lad o pairts.
He's feerious at the spell.   He's aye at es byeuks.
He'll be turnin es heid inte train ile wi aa that readin.

A tellt ye nae te jink / jouk / fudgie /
      skulk the squeel.
The tak aa will be efter ye.

The dominie's garrin them dee their sums.
The teacher's giein them their spellins.
They're vreetin in their copy-byeuks.
Ye've fairly blotched yer copy-book.

SPICK ABOOT THE SQUEEL

The teacher's learnin them substraction.
She's giein them mental sums.
He knacks es fingers fin he kens the answer.
They're gettin dictation.
They write it doon wi their keelivines.
They're deein their readin.
The loon disna read weel.   He jist bummles.
Singin Geordie comes the day.
Fin it comes te singin the loon's a bum.
We didna think muckle o "Who is Sylvia".
Ye better nae miscomfit / misfit the dominie.
He's a ragie billie.

It's play-time.   The loons is playin tackie.
The quinies play jingo ring / mulberry bush /
    drop the hankie / in and out the windows /
    I sent a letter to my love.

The pisheries / shitteries is at the fit o the playground.

The squeel's skailt.   He wis keepit in.
The bairns is lyterin hame.
They're on their hairst play / tattie holiday.
He had a raith or twa at the squeel.
He got a smatterin o lear.

SPICK ABOOT THE KIRK

An easy seat maks an easy faith.
The nearer the kirk the farrer fae Gweed.
Forct prayer is nae devotion.
The fear o Gweed an the lang day.
They're weel guidit that Gweed guides bit hard
    caad that the deevil drives.
They say onything bit their prayers an them
    they fussle.
A'm nae fit ye wid caa kirk greedy.
A hinna muckle time for thon unco gweed
    kinna fowk.
We dinna ging in for faimly exerceese noo.
We're nae like oor kirk-gyaan faithers.
Ye're on yer knees A see.   Pit in a wird for me.
Better ging te kirk barfit nor te hell shod.
He's jined the kirk.   He's liftit es lines.
She's a gracie body.
The mither's been kirkit an the bairn's been kirsent.

They sit in the fore-breist / the breist seat o the laft.
They sit in the pumphel.
The elders han roon the ladles.
The minister's a stench, severe lookin man.
He disna aloo nae back-slidin.

SPICK ABOOT A GALLOPIN TAM

Up by Tough an doon by Towie
He preached the wifie an her bowie,
In Forbes, Keig an Tullynessle
'Twas aye the wifie an her vessel,
Up by Rhynie, doon Strathbogie
'Twas aye the wif ie an her cogie,
Aa through Cabrach an Strathdon,
Aye he preached the wifie on,
Aa the fowk roon Craigievar
Kent the wifie an her jar,
E'en ower by Skene an Peterculter
Appeared the wifie an her pewter,
At Turra, Meldrum an Fingask
Again it was the only cask,
At Peterheid an Mintlaw Station
'Twas aye the same aal lubrication,
But noo they say for very shame
He's locked the wifie up at hame.

Composed by a clerical wag after a young minister
had preached the same sermon on the theme of
I Kings Ch 17 v 16 or II Kings Ch 4 v 3 in some
eighteen churches.

His sermon wis jist caal kail het again.

SPICK O THE DEIL

Saatan.   The Deevil.
The Foul Thief.   The Sorra.

Aal Bobby / Bogie / Boho / Clootie / Donald /
     Hangie / Harry / Hornie / Mahoun /
     Mishanter / Neil / Nick / Nicky / Nicky Ben /
     Rochy / Sandy / Saunders / Sooty /
     Waghorn / Whaupneb.

The Aal Boy / Carle / Chap / Chiel / Een / Fella /
     Man / Smith.

Jamie Fleeman, to minister who upbraided him on
his vagrancy :-
"Ah weel, Rev., A dinna hae te miscaa the Deil
     te mak a livin".

The deil's aye gweed til es ain.
The deil's aye gweed te beginners.
The deil's bairns hiv aye their daddy's luck.

SPICK ABOOT AMUSEMENTS

Playin cards:

Playin cairts.   Cairtin.   Playin cairds.
The Deil's pictur byeuks.
Will we hae a gamie?   Wid ye like a gamie?
Aal maid; three an pick the pack; rummy;
    catch the ten; single loo; three bawbee loo; whist.
Fit's trumph?
A had naething left in ma han bit scaddins.

Ace o Picks)
Moss o Byth)   = Ace of Spades
Furl o Birse)
Curse o Scotland   = Nine of Diamonds
Face cairts   = Court cards
Munsie   = Jack or Knave

Playin the dams / the dambrod.

Playin the totum: A = Tak aa   D = Dossie doon
    N = Nickle naething   T = Tak een.

SPICK ABOOT AMUSEMENTS

Music :
Somebody wid play the comb / the fiddle / the
    melodeon / the moothie / the piana / the
    pipes / the trump.
Somebody wid sing the aal Scots sangs / ballads /
    bothy ballads / cornkisters / the latest sangs.
She's bummlin at the piana.
He's a bum o a fiddler.
He's gotten imsel a stan o pipes.
The gut-scraper rubbit es bow wi roset.

Dancin :
Are ye gaan ballin?
Are ye gaan te shak yer fit / fit the fleer?
He wis dancin an hoochin an knackin es fingers.

He dances best that dances fest
An loups at ilka heezin o't,
An claps es hans fae hough te hough
An furls aboot the feezins o't.

SPICK ABOOT AMUSEMENTS

They were haein a great splore.
The lads were haudin a gyse / hyse wi
    some o the quines.
They seemed te be haein fun for there wis plenty
    o kecklin goin on.
They're in their daft days.

The young chiels were haein a game o:
    ruggin the swingle-tree; shak a fa;
    sweir-draw / sweir-erse / sweir-tree;
    the bowfarts; throwin the haimmer;
    throwin the wecht / the fifty-sixer;
    tossin the caber; tossin the shaef.

They had a go on the showdin-boats at the fair.

They're haudin hogmanay .
They're haudin hail Eel / Aal Eel .

SPICK ABOOT GOOD WISHES

A gweed New Year te een an aa.

Health, wealth an wit te guide it.

Lang may yer lum reek wi ither fowk's coal.

May yer joys be as deep
As the snows in the glen,
Yer sorras as few
As the teeth o a hen.

May the best ye've ivver seen
　　be the warst ye'll ivver see,
May a moose ne'er leave yer girnal
　　wi a tear-drap in its ee,
May ye aye be jist as happy
　　as A wish ye aye te be,
May ye aye be hale an herty,
　　till ye're aal aneuch te dee.

Lang may ye live,
Happy may ye be.
Blest wi contentment,
An fae misfortune free.

SPICK ABOOT GOOD WISHES

Here's a health te ye aa yer days,
Plenty o maet an plenty claes,
Porritch an a been speen,
An anither tattie fin een's deen.

Peace an plenty an nae killin,
Beef at a groat an maet at a shillin,
Fusky for naething an yill at the same,
A canty bit wife an a cosie wee hame.

May ye nivver wint for onything that's gweed for ye.
May gweed befaa ye.
Lang life an gweed heal te ye.
Blissins on yer heid.
Seil upon yer bonnie pow.

Grace an growin te the bairn.
Fattenin an battenin te the bairn.

Here's te aa that I loo,
An here's te aa that loo me,
An here's te aa that loo aa that I loo,
An te aa that loo aa that loo me.

217

SPICK ABOOT FREETS

Sneezing :
Sneeze on Monanday, sneeze for a letter.
Sneeze on Tyesday, something better.
Sneeze on Wodensday, kiss a stranger.
Sneeze on Feersday, sneeze for danger.
Sneeze on Frayday, sneeze for sorrow.
Sneeze on Saiterday, kiss your sweetheart tomorrow.

One's a wish, two's a kiss,
Three's a disappointment,
Four's a letter, five's something better,
Six is a stranger, seven's danger,
Eight's sorrow, nine's joy.

Cutting nails :
Cut them on Monday, cut them for health;
Cut them on Tuesday, cut them for wealth;
Cut them on Wednesday, cut them for news;
Cut them on Thursday, a new pair of shoes;
Cut them on Friday, cut them for sorrow;
Cut them on Saturday, see your sweetheart tomorrow;
Cut them on Sunday, you cut them for evil,
For aa the neist week ye'll be ruled by the Deevil.

SPICK ABOOT FREETS

Married in white, you've hooked him all right.
Married in blue, you'll always be true.
Married in red, you'll wish you were dead.
Married in green, you're not fit to be seen.
Married in yellow, you're ashamed of the fellow.
Married in grey, you'll rue the day.
Married in black, you'll wish you were back.

Blue's love true,
Green's love deen,
Yellow's forsaken.

Oh I'll pit on my goon o green,
It's a forsaken token.

Help me te saut, help me te sorra.
The dishes are dancin - the cook's te be mairriet.
Crossed knives - there's sure te be a quarrel.

That wife has a gweed fit / an ill fit.

SPICK ABOOT FREETS

Witches :
Rodden tree an reed threed
Pits the witches te their speed.
Or: Gars the witches tyne their speed.

The rawn-tree an the wid-bin
Haud the witches on come in.

Magpies :
One sorrow, two mirth,
Three a weddin, four a birth,
Five heaven, six hell,
Seven the Deil's ain sell.

Een's joy, twa's grief,
Three's a merriage, fower's a birth,
Five's a death an sax a hearse.

Een's een, twa's grief,
Three's a weddin, fower's a death.

The liverock :
Malisons, malisons mair nor ten
That herries the nest o the haivenly hen
But benisons, benisons three times three
That looks at ma eggies an lats them be.

SPICK ABOOT FREETS

He wis born wi a seilyhoo - he'll neither droon
    nor wint.

The bairn that cuts its teeth abeen,
Will never see its merriage sheen.

Gin he spick afore he walk he'll turn oot te be a leear.

Sing afore brakfast, greet efter't.

Ma lugs is burnin. Somebody maun be spickin
    aboot me.
A'm shiverin.   Somebody's walkin ower ma grave.

Happy's the bride the sin shines on,
Happy the corpse the rain faas on.

Fey tokens :
Somebody's boun te dee if :
    the dogs hiv been howlin;
    the chakkie mull wis heard;
    the deed cannles were seen;
    three loud knocks were heard;
    the deed-drap was heard;
    a lookin gless or a pictur fell doon.

SPICK ABOOT FREETS

Fusslin maidens an crawin hens is nae lucky
    aboot ony man's toon.

Dirt's luck.

Gang aye wi the sin.   Gang deasil.
Nivver steer the pot the wrang wye roon.
Gin ye dee a thing withershins it's sure te be vrang.
It's bad luck te trail the raip.

It's sure te be rain fin :
    the cat's washin the backs o her lugs;
    the cat's sneezin;
    the dog's ettin girse;
    the swallas is fleein low;
    yer rheumatics is bad;
    there's a lot o midgies aboot.

Restless beese means there's like te be snaa.

SPICK ABOOT TREES

Aik. Aish / Esh.
Aipple. Crab-aipple.
Aitnach.
Beech. Birk.
Bourtree.
Chestane.
Eller. Elim.
Esp.
Fir.
Gean.
Haathorn. Hizzle.
Hoburn sauch. Hollin.
Jenepere.
Larick.
Peer. Plane-tree.
Ploom.
Quakin aish.
Rawn / rodden-tree / rowan / rowntree.
Sauch. Sprush.

Breem. Funs.

SPICK ABOOT ANIMALS

Foumart. Futret.
Baud / fuddie / hare. Hedger.
Moldiewarp / moodiewart / mowdie / mowdiewart
Moose / moosie. Thraw moose. Puddock.
Rabbit / mappie. Rottan. Slug. Snail.
Selkie. Ted. Tod. Stoat weasel. Weasel.

SPICK ABOOT INSECTS

Bumbee. Bummie. Bummer. Reed-ersie.
Foggie bee. Foggie bummer. Foggie toddler.
Cleg. Dirt bee / dirt flee. Muck flee. Loose.
Eemach / emmerteen. Flech. Flee. Blue flee.
Forky-tail / forky golach / hornie golach.
Hairy worm. Tory worm.
Golach. King's doctor ellison.
Jenny-lang-legs / jenny spinner.
Meggie-mony-feet.
Midge / midgie / midgick. Moch.
Slater. Spider / wyver.
Wasp.

SPICK ABOOT BIRDS

Blackie. Chackart. Chaffie.

Corbie / craw / hoodie craw.

Corncrake. Craik. Coot / queet.

Croodlin doo / cushie / cushie doo / doo.

Craigit heron / Lang Sandy.

Ess-cock. Fieldy.

Gled. Gowk.

Heather-peeper. Hedge spurdie.

Katie wren. Laverock / liverick.

Lintie / green lintie / heather lintie.

Mairtin. Mavie / mavis.

Ool / oolet / hornie oolet / hoolet.

Moss-deuk / muir-deuk. Muir-cock / muir-hen.

Pairtrick.

Peesie / peesweep / teuchat.

Pyot / Deil's bird.

Pyowl. Rook. Sea maw.

Scrath. Skirlie-wheeter.

Spurdie / spyug. Steen-chackart.

Swalla.

Tammie cheekie / tammie norie.

Watery wagtail. Whaup.

Yaldie yite / yalla yitie.

SPICK ABOOT PLACES

MORAY
The gweel, the Gordon an the hoodie craw,
Is the three warst things that Moray e'er saw.

ELGIN
Half deen, as Elgin was burnt.

SPEYSIDE
Dipple, Dundurcas, Dandaleith and De'vey,
Is the fower bonniest haughs
On the banks o' the Spey.

FOCHABERS
A sing a sang, A ming a mang,
A cyarlin an a kid;
The drunken wives o' Fochabers
Is rinnin wid.

DUFFTOWN
Rome was built on seven hills,
Dufftown stands on seven stills.

RIVER AVON
The water o' Awn rins sae clear,
It wad beguile a man o' a hunner 'ear.

SPICK ABOOT PLACES

GLENLIVET
Glenlivet it has castles three,
Drumin, Blairfindy and Deskie.

CABRACH
Duchess of Gordon's opinion:
I hae a kintra caad the Cabrach,
The fowk's dabberach,
The water's Roushter,
The corn's trooshter.

CAIRNIE
The old kirk of Ruthven:
The road te the Kirk o' Rivven,
Far gangs mair deed nor livin.

KEITH
The Burn o' the Riggins, Newmills:
The Pot o Pittenyoul,
Far the Deil gya the youl.

They're aye on the hough, like the dogs o' Keith.

BUCKIE
Awa te Buckie te bottle a skate.

SPICK ABOOT PLACES

CULLEN
A jaundiced view of the old town:
Aiberdeen will be a green,
An Banff a boroughs toun,
An Turra'll be a restin place,
As men gang up an doon,
But Cullen will remain the same,
A peer foul fisher toun.

ORDIQUHILL
Aa the wives o' Ordiqueel,
Wirkin at the muckle wheel,
They hae corn, they hae kye,
They hae wabs o' claith forbye.

Aa the wives o Corncairn,
Dreelin up their bonnie yairn,
They hae corn, they hae kye,
They hae wabs o' claith forbye.

BOYNDIE
St. Brandan's Stanes:
At twa full times an three half times,
Or three score years an ten,
Ravens sall sit on St. Brandan's Stanes
An drink the bleed o' the slain.

SPICK ABOOT PLACES

BOYNDIE
Byne fowk; Buchan bodies; Strila lairds, barfit ladies.

BANFF
Banff it is a burghs toun,
A kirk withoot a steeple,
A midden o' dirt at ilky door,
An damnt unceevil people.

Banff it is a burghs toun,
A kirk withoot a steeple,
A bonnie lass at ilky door,
An richt fine civil people.

Gang te Banff an buff ben-leather.
Gang te Banff an bin bickers.
Gang te Banff an beetle beans.

CULBIRNIE
Fae Kilbirnie te the sea,
Ye may step fae tree te tree.

EDEN
A curse on the old castle:
Caul may the ween blaw
Aboot the yetts o' Eden.

SPICK ABOOT PLACES

TURRIFF
Weary faa the Trot o' Turra.

The Brig o' Turra,
Half wye atween Aiberdeen an Murra.

Chyse ye, chyse ye,
At the Cross o' Turra,
Whether ye gang te Aiberdeen,
Or te Elgin o' Murra.

CARNOUSIE
Caul Carnousie stans on a hill,
An mony a fremt een gangs theretil.

FYVIE
Curse of the three weeping stones:
Fyvin's riggs an towers,
Hapless sall yer mesdames be,
While ye sall hae within yer methes
Frae herriet kirk's lands stanes three.
Ane it is in Preston's tower,
Ane is in my lady's bower,
And ane below the water-yett,
But that een ye sall never get.

SPICK ABOOT PLACES

GIGHT
At Gight three men a violent death sall dee,
An efter that the land sall lie in lea.

RAYNE
Fite kirk o' Rayne, Straucht stans yer waa;
On a bonnie Pace Sunday, Doon ye sall faa.

Easterton an Westerton, Saphock an Pitblain,
Meikle Wartle, Little Wartle, Fite kirk o' Rayne.

Gadie said te Ury
"Whaar sall we twa meet?"
"Doon in the woods o' Logie
There we'll rin sae sweet."

MONYMUSK
Aiberdeen sall be a green,
An Banff a boroughs toon,
An Monymusk sall be a buss
Te bring the dun-deer doon.

SPICK ABOOT PLACES

BENNACHIE
The Mither Tap o' Bennachie
The sailors' landmark fae the sea.

There are twa landmarks aff the sea,
Clochnaben an Bennochie.

A wife's ae son wi ae ee
Sall fin' the keys o' Benachie
Aneth a bonnie breem buss
In the ward lands o' the Geerie.

The Grole o' the Geerie,
The bowmen o' Mar,
Upon the hill o' Benachie,
The Grole won the war.

"Ye're braw," said Tam o' Benachie
As he gaed ower yestreen
To see his cousin Jock o' Noth,
"Ye dazzle baith ma een." ''

INVERURIE
When Dee an Don sall rin in one,
An Tweed sall rin in Tay,
The bonnie water o' Urie
Sall bear the Bass away.

SPICK ABOOT PLACES

FRASERBURGH
Aiberdeen will be a green,
And Banff a boroughs toun,
But Fraserbroch will be a broch,
When aa the brochs is deen.

RATHEN
Cairnmuir and Cairnbyke,
Rummlin steens an steenie dykes,
Atween the centre an the pole,
Great Caesar lies intil a hole.

RATTRAY HEAD
Keep Mormond Hill a handspike high,
An Rattray Brigs ye'll not come nigh.

STRICHEN
Marno sall be clad in reed,
An Mormond Hill rin doon wi bleed,
An aa the peace that e'er will be,
Will be 'tween Mormond an the sea.

DEER
It is not here, it is not here,
That ye're te big the kirk o' Deer,
But on the tap o' Tillerie,
Whar mony a corp sall efter lie.

SPICK ABOOT PLACES

LONGSIDE
Little Ugie said te Muckle Ugie,
"Whar sall we twa meet?"
"Doon in the haughs o' Rora,
When aa men are asleep."

CRUDEN
Crush-dane the parish then was styled,
But clever tongues the name hath spiled.

St. Olave's well, low by the sea,
Whar pest an plague sall never be.

FORVIE
Curse of dispossessed daughters:
If ever maidens' malisoun
Did licht upon dry land,
Let nocht be fund in Furvie's glebes
But thistle, bent an sand.

BRIDGE OF DON
Brig o' Balgownie, black's yer wa';
Wi' a wife's ae son an a mear's ae foal,
Doon ye sall faa.

SPICK ABOOT PLACES

DEE and DON
A mile o' Don's worth twa o' Dee,
Except for salmon, steen and tree.

CROMAR
Dowie's the day John Tam was mairriet,
Culblean was burnt an Cromar herriet.

BALLATER
They're douce fowk the Tullich fowk.

FOOTDEE
Old song:
We brak nae breid o' idlecy
Doon by in Fittie Square.
Aa nicht oor men toil on the sea,
An wives maun dee their share.
Sae fan the boats come laden in,
I tak my fish tae toon,
An comin back wi empty creel
Tae bait the lines sit doon.

SPICK ABOOT PLACES

ELGIN
Monumental Inscription:
THIS WORLD IS A CITE
FULL OF STREETS. &
DEATH IS THE MERCAT
THAT ALL MEN MEETS.
IF LYFE WERE A THING
THAT MONIE COULD
BUY. THE POOR COULD
NOT LIVE & THE RICH
WOULD NOT DIE.

CRAIGIEVAR CASTLE
Inscription:
DOE NOT VAIKEN SLEIPING DOGS

DELGATIE CASTLE
Inscription:
MY HOYP IS IN YE LORD 1570

GLENBUCKET CASTLE
Inscription:
IOHRN. GORDONE. HELEN. CARNEGE. 1590
NOTHING ON EARTH REMANIS BOT FAIME

SPICK ABOOT PLACES

FORGLEN
Inscriptions on the old castle:

HOIP OF REVAIRD CAVSES GVID SERVICE

DO VEIL AND DOVPT NOCHT
ALTHOCH THOV BE SPYIT;
HE IS LYTIL GVID VORTH
THAT IS NOCHT ENVYIT;
TAK THOV NO TENT
QUHT EVERIE MAN TELS;
GYVE THOV VALD LEIVE ONDEMIT
GANG QVHAIR NA MAN DVELS.

GOD GYVES AND HAS NOCHT YE LES.

SPICK ABOOT LAIRDS

BAIRD
As lang's there's an eagle in Pennan
There'll be a Baird in Pitmeddan.

BARCLAY
Tollie Barclay o' the glen,
Happy to maids, but ne'er to the men.

FRASER
While a cock craws in the North,
There'll be a Fraser in Philorth.

GORDON
Fin a dyke gangs roon the Bog o' Gight,
The Gordons' pride is at its hicht.

Fin the heron leaves the tree,
The laird o' Gight sall landless be.

Daugh an Sauchen, Keithock Mill,
Tam o' Rivven owned the will;
Balvenie, Cults an Clunymore,
Auchendoun an mony more.

SPICK ABOOT LAIRDS

KEITH
As lang's this steen stans on this craft,
The name o' Keith sall be alaft;
But when this steen begins te faa,
The name o' Keith sall weer awa.

MENZIES
Pit fae ye, Pitfoddles, they're men in the Mearns.

PITCAPLE
The wrang colour, like the Laird o Pitcaple's angels.

SPICK ABOOT TIME

The day.   The nicht.   The 'ear.

The morn / morn's mornin / morn's nicht.

Thestreen / yestreen / last nicht.

The nicht afore last.   This time last wick.

This day wick.   A wick the morn.

A wick come Tuesday.   This day acht days.

In the mids o the meantime.

A sennicht. A fortnicht. A raith.

A sax-month. A twal-month / towmond / 'ear.

Foreneen. Efterneen. Forenicht. Fore-supper.

Gray o the mornin.   Atween the lichts.

Evenin.   Gloamin.   Gray o the evenin.

Blin oors.   Wee smaa oors.

Midnicht. Howe o the nicht. Turn o the nicht.

Deed oor o nicht.   Riggin o the nicht.

Deed seelence o the nicht.

The time's weerin on.   It's weerin ower.

Risin time. Yokin time. Lowsin time. Bedtime.

Fit time o day is't?   It's half fower (3.30).

The turn o the 'ear.   A roon o the knock.

Mony a 'ear an day. Nooadays. Noo an than.

Eenoo / eynoo / eyvenoo. Eence in a blue meen.

Nae afore / ahin time.   We're aa mistimed.

A fyle syne.   Iss fyle.   This fyle back.

The knock's afore / ahin the toon.

SPICK ABOOT TIME

Uncle John Wilson's week :
  (Rothin)
    Wednesday's the mids o the week
    Thursday's ower the brae
    Lang-leggit Friday will never weer awa
    Short sweet Setterday
    Sunday coopers aa
    Monday up an till't again
    Tuesday caa awa.

Months :

Januar	Februar	Mairch
Aprile	Mey	Jeen
Julie	Aagist	September
October	November	December

Come Johnnie Pyot's term day. (Never)

The days are drawin in.
The nichts are creepin oot.

SPICK ABOOT DATES

Jan   1 Ne'er Day
        - Aal Handsel Monday (First Mon. O. S.)
          5, 6 or 7 Aal Eel. The Daft Days end.
    25 Burns' Nicht.

Feb   1 Candlemas E'en. St Bride's Day.
      2 Candlemas / Cannlemas.
    14 St Valentine's Day.

Mar   - Fastern's E'en. Beef, brose an bannock day. *

Apr   1 April feel's day.
    11 Gowkin day.
     - Pace (moveable). *

May   1 Beltane.
    15 Whitsunday.

June 23 Midsummer Eve.   24 Midsummer.

July 15 St Swithin's Day.

Aug   1 Lammas.

Sept 29 Michaelmas.

Oct   31 Hallowe'en.   Nov 1- 6 Hallowmas.

Nov 11 Martinmas / Mertimas.
    30 Anermas. St Andrew's Day.

Dec 25 Yule. The Daft days begin.
    31 Hogmanay.

*   First comes Cannlemas an syne the new meen,
    The first Tysday efter that, that's Fester E'en,
    That meen oot an the neist meen's hicht,
    The first Sunday efter that, that's Pace richt.

SPICK ABOOT FAIRS

Aberchirder	Marnan Fair
Aberdeen	Timmer Market
Aboyne	Michael Fair
Banff	Brandan Fair
Buckie (Rathven)	Rivven Market
Kincardine O'Neill	Bartle / Barthol Fair
Maud / Old Deer	Aikey Fair
Rayne	Lowrin Fair (St Lawrence)
Turriff	Porter Fair
	Kowanday Fair (St Congan)

Muckle Friday - Friday of half-yearly feeing market.
Rascal Fair - for men not fee'd at the regular market.

TERM DAYS

Scottish Term Days		Removal Terms (since 1886)
Candlemas	Feb 2	
Whitsunday	May 15	May 28
Lammas	Aug 1	
Martinmas	Nov 11	Nov 28

SPICK ABOOT THE WEATHER

A'm skeelin te see fit like a day it'll be the morn.
There wis a rainbow wi a teeth so it's nae verra
    promisin.
It's fair eynoo bit that wither-gaw looks like rain
    or snaa.
The sky's gey cankert lookin.
There's a blue bore / borie in the cloods so
    it's mebbe gaan te fair up.
It's owre near the settin sin so the coorse wither's
    nae past.
That skullgab bodes ween.
It's nae a bad day bit A some doot it's jist a flatterin /
    flinchin Frayday.

It's a bonnie day.
It's drouthy / druchty / dryachty / forcy weather.
We've haen a lang dry time o't.
It's birslin the day.   A'm plottin / roasen.

It's maamie / mochie / muchtie / saft /
    smuchty weather.
There's a lot o slammachs on the hedge.

SPICK ABOOT THE WEATHER

The win's beginnin te kittle up.
There wis a flaff / flucht / fluff / pirr o ween.
It's kinna airish / chilpy.
It's a bare / snell win / a caal blast.
There's a caal doishter / dyster aff the sea.
A furl o fairy win gaed ower the park.
A howd o win near blew me ower.
It's blawin a richt bleester / blinter / bluffart / driffle.
He got a gey nizzin comin ower the hill.
We got a maist aafa blouster / blowder / blowther.
It's a piner win.
There's a bit o a daak noo.
The win's fae an ill airt.

There wis a flash o lichnin an a rummle o thunner.
There wis a lot o fire-flaucht thestreen.
Did ye see the merry dancers last nicht?

SPICK ABOOT THE WEATHER

The weather's broken / brucklie / grumlie.
It's dreich / eemis / ragglish wither.
There's a furl o mist on the Knock Hill.
There's a nesty gull / haar aff the sea.
If the cock craws at nicht, he'll rise wi a watery heid.

It's drawin te rain / offerin te rain.
We're gettin a blink afore a drink.
It's shoorin an shinin like a day in Mairch.
It's spirkin / spittin wi rain.
It's makkin up for anither shooer.
There's a scouther / skiff / skiffle / skift / skifter /
    skirp / skite / smirr / smuchter / smytrin o rain.
It's bleatery / blirty / drabblichy / drabbly / plashy /
    pleitery / scoorie / scuddrie / spleuterie.
It's beginnin te deow.   It's a drappin drucht.
It hisna come te muckle, jist a dreep aa day.
We got a brash / brattle / dag / dash / scow / scrow /
    scudder / spleiter o win an rain.
It's eident rain.   It's rainin hale watter.
We hid a richt doon-pour / thunner-plump.
There's been an onding / an oot-pour o rain.
The rain's plashin doon / teemin doon.

SPICK ABOOT THE WEATHER

It's dingin on peer men / aal wives an pike staves
    an the pike eyns nethmaist.
That day disna ken whether it wid shite or spew.
It's a fine day for deuks an mullarts.
Fine for the deuks bit nae for the stooks.
It's soor kinna wither.   It's a coorse nicht.
We've haen a gweed sup rain.
The rain nivver uppelt nor devalt aa nicht.
It wid pit watter in aal waals an dubs in
    rivven sheen.
The burn's lippin fu.
Ye're like a drookit rottan.
A'm drooglet / seepin / soakit / sypin / sypit /
    wringin.
Nivver min' the rain. It winna ging farrer nor
    the skin.

We're gettin a blink o the sin.
It'll mebbe fair up efter aa.

On afore seeven, aff afore eleeven;
On afore eleeven, on aa day.

It's a mirk / mirky nicht. It's pick black.
It's that dark ye canna see a styme.

SPICK ABOOT THE WEATHER

It's turnin caal.   It's a blue day.
It's stervation oot there.
Be the time A got in A wis rale oorlich.
A'm jeelt / jeel-caal / stervin.
It's sae caal it gies ye a dreep at yer nose that wid
     droon a cat.

It's lookin like snaa.   We're in for a storm.
There's been a skifterin o snaa.
It's a smeuk o snaa noo.
There's been a blatter o hail-steens.
It's dry drift.   It's blin drift.   It's smorin.
The snaa's comin doon in flags.
It's dingin on like te smore ye.
There's been a doon-faa / an onfaa o snaa.
It's been snyaavin aa nicht.
Ye'll be storm-stayed.   Ye canna ventur oot.
The road's blockit.   We'll hae te cast it.
Sheel the snaa te the side o the road.
It's a lyin storm.   It's wytin for mair.
It's a job te haud yer feet on the ice.
The tangles is hingin fae the spoots.
The snaa's meltin / rottin.
The burn's in spate wi the snaa bree.
Crossin the strype's nae chancy.

SPICK ABOOT THE WEATHER

Banff Bailies - white snowy looking clouds on the
    horizon betokening foul weather.

Bailies o Buchan - stormy weather from the East.

Cats' hair - cirrus or cirro-stratus clouds.
The muckle forester - a strong wind.

Barber - freezing coastal mist in calm weather.

Dog afore his maister - swell before a storm.
Dog ahin his maister - swell after a storm.

Packies / pack merchans - small clouds moving
    eastwards bode south or south-west wind.

When the roarin's at the bar (Deveron Mouth)
Then the weather will be waar
When the roarin's at the Byne (Boyndie Bay)
Then the weather will be fine.

Mackerel backs an mares' tails
Gie the win te full the sails.

Fin the rummle comes fae Pittendrum
The ill wither's aa tae come
Fin the rummle comes fae Aberdour
The ill wither's aa ower.

249

SPICK ABOOT THE WEATHER

Seagull, seagull sit on the san
It's never gweed wither fin ye're on the lan.

Wild geese, wild geese gangin te the sea
Gweed wither, gweed wither it will be;
Wild geese, wild geese gangin te the hill
Weet wither, weet wither it will spill.

The Duke o Sutherland aye peys back the
        laird o Troup.
The Earl o Moray is never lang in debt to the
        Earl o Mar.

Fin the mist comes fae the hills
Ye'll get watter te yer mills
Fin the mist comes fae the sea
Better weather it'll be.

Mist fae the sea brings honey te the bee.

A misty mornin bodes a clear day.

The evenin reed an the mornin gray
Is aye the sign o a bonnie day.

Lang fair, lang fool.

SPICK ABOOT THE WEATIIER

If New Year's nicht the win blaw south,
That betokens warmth an growth;
If west, much milk, an fish in the sea;
If north, much cold an snow there'll be;
If east, the trees will bear much fruit;
But if north-east, flee it, man an brute.

A blast oot o the west, is a blast at the maist
Bit a blast oot o the east, is three days at least.

Fin the win's in the north
Hail's sure te come forth;
Fin the win's in the wast
Expect a wat blast;
Fin the win's in the sooth
We're sure o a drooth;
Fin the win's in the east
Caal an snaa'll come neist.

Win fae the sou' brings rain in its mou'.

Fin the win comes fae the east
It's gweed for nether man nor beast.

Fin the ween comes aff o' Cullycan
It's gweed for neither beast nor man.

251

SPICK ABOOT THE WEATHER

Fin Mormond Hill pits on its cap
The Buchan lads will get a drap.

Fin Bennachie pits on his cap
The Geerie lads will get a drap.

The Orkney fowks are pluckin geese - snow is
    falling in flags.

Ding on, ding on, ding on drift,
Aa the fisher wives is comin fae the kirk.

Rainbow, rainbow, brack an gyang hame,
Yer father an mither's aneth the lair stane,
Yer coo's wi a calf an yer yowe's wi a lam,
Yer wife will be deed or ye win hame.

The soo :
    Grumphie smells the weather
    Grumphie sees the win
    She kens when cloods will gaither
    An when they'll smore the sin
    Grumphie is a prophet
    When she creeps til her sty
    Grumphie kens aboot it
    Coorse weather will be nigh.

SPICK ABOOT THE WEATHER

If grass growes green in Janaveer
It will be waar for't aa the 'ear.

As the day lengthens the caal strenthens.

For as lang as the liverock sings afore Cannlemas
    it'll greet efter't.

If Cannlemas Day be bricht an fair
Half o the winter's te come an mair.
If Cannlemas Day be dark an foul
Half o the winter wis by at Yule.

Aa the ither months curse a gweed Februar.

February full-dyke, first a black an then a fite.

Mairch shid come in like a lion an gang oot like
    a lamb.

The caal kalends o Mairch - cold spell in early March.

A peck o Mairch stew is wirth its wecht in gowd.

SPICK ABOOT THE WEATHER

The lambin storm - severe weather about lambing
   time in March.

The Borrowing Days - at the end of March:
      Mairch, aal ram, said to Aprile
      I see three hoggs upon the hill
      But lend your first three days to me
      An I'll be boun te gar them dee
      The first it sall be win' an weet
      The neist it sall be snaa an sleet
      The third it sall be sic a freeze
      Sall gar the birds stick te the trees
      But when the borrowed days were gane
      The three hoggs they cam hirplin hame.

Mairch win an Mey sin
Maks claes clean an maidens din.

April shooers - Mey flooers .

An April day - sheetin an glintin.

The Gab o Mey / The Caal Gab - stormy spell at the
   beginning of May.

SPICK ABOOT THE WEATHER

The Teuchat's Storm - stormy weather at the time
of arrival of peewits in early May.

The Gowk Storm - stormy weather at the time
of arrival of the cuckoo in May.

The Coos' Quake - short spell of bad weather in May.

Mey comes in wi warm shooers
An raises aa the gress
An aa the flooers o Mey an Jeen
They do incraise.

Misty Mey an dreepin Jeen
An syne gweed weather fin that's deen.

A misty Mey an a sunny June
Keeps the fermers aa in tune.

A misty Mey an a drappy Jeen
Maks the craps come in seen.

A misty Mey an a drappy Jeen
Maks an early hairst an seen deen.

SPICK ABOOT THE WEATHER

A drappy Mey maks the hey.

Ne'er cast a cloot till Mey be oot.

St Swithin's Day if thou be rain
For forty days it will remain
St Swithin's Day if thou be fair
For forty days 'twill rain nae mair.

The Lammas Spate - heavy rain in August.

The Yowe Trummle - cold spell at shearing.

If the ice in November hauds a duck
The rest o the winter'll be slush an muck.

A green Yule maks a fat kirkyaird.

A harn Monanday maks a linen week.

Wednesday is aye weather-true
Whether the meen be aal or new.

Aa the wealth o the wardle is in the weather.

SPICK ABOOT THE WEATHER

Fin roon the meen there is a broch
The wither will be caal an roch.

A farawa broch is a near han faa.

A cock's ee - moon with a halo, a sign of rain.
Aa in the midden be mornin.

The new meen wi the aal meen in its oxter - a sign
    of bad weather.

Fin the meen lies on her back
Men yer sheen an sort yer thack.

Aal meen's mist bodes new meen's drift.

Far wast an seen seen
That's the sign o a gweed meen.

A hairst meen creeps roon the crap o the waa.

Setterday's meen an Sunday full
Never wis gweed an never wull.

Setterday's meen gings seeven times mad.

SPICK ABOOT AS THEY SAID

An aafa skirlin for aa the oo,
As the deevil said fin he sheared the soo.

The souter gied the soo a kiss,
"Grumph" said she "it's for a birse".

A'll tak anither day till't, as the mannie said
    fin he wis loupin the kirk.
A merry min' is nae a sin, as the wifie said
    fin she gaed fusslin ben the kirk.
Clean's kindly, as the wifie said fin she turned
    er semmit efter a month.
Ilk een te their likin, as the wifie said fin she
    kissed the coo.
Neat bit nae gaudy, as the monkey said fin he
    painted the piana green.
Time flies, as the monkey said fin he tore the
    leaves aff the calendar.
That's weel awa, as the mannie said fin es wife
    swalliet er tongue.
There's baith meat an music here, as the dog said
    fin he ate the piper's bag.
Saut, quo the souter, fin he had ettin the coo aa
    but the tail.
It's a handy thing te hae in the hoose as the man
    said aboot the coffin.

SPICK ABOOT VULGAR

In days langsyne fin pigs were swine
Afore paper wis inventit
A man dichtit es erse wi a tuft o girse
An went away contentit.

He that ence a good name gets
May pish the bed an say he sweats.

Every little helps as the wifie said fin she pished
    in the sea.
Fich aliss as the wifie said fin she pished amon
    the nettles.
Tit for tat as the wifie said fin she farted at the
    thunner.
That's hard as the wifie said fin she shat flint.
Gettin ma ain back as the mannie said fin he
    pished against the win.
Back te nature as the mannie said fin he dichtit
    es erse wi a docken.
Ye get the best fart at yer ain fireside.
It's a peer erse that nivver rejoices.
Ye can sleep till yer ain fart waakens ye.
A'm nae a feel though A fart in the kirk.

BAIRNS' RHYMES

That wis langsyne, fin geese were swine
An monkeys chawed tabacca
An sparras biggit in aal mens' bairds
An mowdies dell't the tatties.

Cripple Dick on a stick, Sandy on a soo
Gaed awa te Aiberdeen te buy a pun o oo.

Snail, snail, pit oot yer horn
Fit kinna day will't be the morn .

Rainy, rainy, rattlestanes
Dinna rain on me
Rain on Johnnie Groat's hoose
Far across the sea.

Johnnie Raw shot a craw
A hunner an fifty mile awa
He took it hame te his mamma
His mamma ett it aa
An left the beens te Johnnie Raw.

Nebuchadnezzar, the King o the Jews
Sellt es wife for a pair o shoes
When the shoes began te weer
Nebuchadnezzar began te sweer.

BAIRNS' RHYMES

Matthew, Mark, Luke an John
Haud the horse till I win on
Haud im siccar, haud im sair
Haud im be the aal mane hair.

Charlie Chats milkit the cats
An Gollochy made the cheese
An Charlie steed at the back o the door
An held awa the flees.

The lion an the unicorn
Fechtin for the croon
The lion won the fecht
An dung the unicorn doon.

Wallace wicht, upon a nicht
Took in a ruck o bere
An or the meen at fair daylicht
Hid draff o't til es mear.

Pussy cat, pussy cat faar hae ye been?
A've been te London seein the Queen.
Pussy cat, pussy cat fat got ye there?
A got a wee moosie aneth the Queen's chair

BAIRNS' RHYMES

Pit yer finger in the corbie's hole
The corbie's nae at hame
The corbie's at the back door
Pickin at a been.

Kittlie, kittlie, roon the han
If ye lauch ye'll be a man,
If ye dinna ye'll be a wife
For aa the days o yer life.

Steek yer een an open yer mou
An see fit I will gie te you.

Full a pottie, full a pannie,
Full a blin man's hannie.

Een's een, twa's some,
Three's a puckle, fower's a pun.

Een's neen, twa's a fyow,
Three's a birn, fower's a laid.

Neevie neevie nick nack
Which han will ye tak?
Tak een, tak twa,
Tak the best amon them aa.

BAIRNS' RHYMES

Rhymes relating to games :   (numerous such)

Showdy, powdy pair o new sheen
Up the Gallowgate, doon the Green.

Showdy, powdy, pair o new sheen
Up the garret an doon the green.

Wey butter, wey cheese,
Wey a pun o cannle grease.

One, two, three a leerie
Four, five, six a leerie
Seven, eight, nine a leerie
Ten a leerie, postboy.

A keppie, a clappie, a furlie-ma-jockie
Heel, toe, through you go
Salute to the King, bow to the Queen
An turn your back on the Kaiser.

Fly away Peter, fly away Paul
Come back Peter, come back Paul.

Tip and toe, leal and low,
Turn the ship and away we go.

BAIRNS' RHYMES

One, two, three a leerie
I spy Bella Peerie
Sittin on er bumaleerie
Ettin chocolate biscuits.

Confirming a bargain :

Ring, ring the pottle bell
Beens may brak an beens may heal
Bit gin ye brak the bargain
Ye're sure te gang te hell.
(said while hooking little fingers of the
right hand and shaking hands up and down.)

As sure's death, cut ma breath
Ten mile aneth the earth
Fite man, black man burn me te death.

The clype :

Clash-pyot, clash-pyot sits in the tree
Ding doon aipples een, twa, three
Een for the lady, een for the laird
Een for the clash-pyot that sits in the tree.

BAIRNS' RHYMES

The liar :

Leerie, leerie, lick stick
Leerie, leerie, lick stick.

Leerie, leerie, licht the lamps
Lang legs an crookit shanks;
Hing the leerie ower a tree
Te gar the leerie never lee.

The fight :

Een for een ye may compare
Bit twa for een is geyan sair.

Counting :   (numerous variants)
1   Eendy / eenty
2   Teendy / teenty
3   Tethery
4   Tickery / methery
5   Bambor
6   Hecturi / leetera
7   Seater / siterie
8   Over
9   Dover
10 Dick / dock

BAIRNS' RHYMES

Counting out   (numerous such rhymes)

Eetle ottle black bottle
Eetle ottle oot
Fite fish, black troot
Eetle ottle, you're oot.

Eetum peetum penny pie
Cockalorie jinky jye
An tan toot
Stan ye oot.

Eenerie, twaerie, tickerie, teven
Hallaby, crackaby, tenaby, leven
Pim, pam, fusky, dam
Feedlum, faadlum, twenty-one.

Eenitie, feenitie, ficer, ta,
Fa, fel, del, domina,
Irky, birky, story, rock,
An, tan, toosht.

Eentie, teentie, tippeny bun
The cat gaed oot te get some fun
Te get some fun sat on er bum
Eentie, teentie, tippeny bun.

266

BAIRNS' RHYMES

Hogmanay rhymes :

Rise up aal wife an shak yer feathers;
Ye needna think that we are beggars;
We're only bairns come oot te play;
Rise up an gie's wir hogmanay.

Wir feet's caal, wir sheen's thin,
Gie's a piece an lat's rin.

We'll sing for breid, we'll sing for cheese,
We'll sing for aa yer odd bawbees,
We'll sing for meal, we'll sing for maut,
We'll sing for siller te buy wir saut.

Yer purse is fu o siller,
Yer bottles fu o beer,
Ye'll surely gie's a bawbee,
Te spen neist New 'ear.

BAIRNS' RHYMES

The herdies :

It was the custom for the herdie to cut notches on his
stick : II,I,III,IIIII,I,I,IIII,II,II,III,I,I,II,II,X

These mystic symbols are explained by :

Jocky an his owsen.

Twa afore een an three afore five,
Now een an then een an fower comes belive
First twa an syne twa an three at a cast
Double een an twice twa an Jockey at last.

said to represent the way in which thirty oxen
were yoked in the old plough.

Herdie, dirdie, blaw yer horn;
Aa the kye's amon the corn.
Here aboot an far awa,
O aa the herds A ivver saa,
. . . blakes them aa.

BAIRNS' RHYMES

Fin I wis een I gid maleen
    "   twa I shot a craw
    "   three I climmed a tree
    "   fower I hid a glower
    "   five I didna thrive
    "   sax I got my smacks
    "   sivven I gid te Rivven
    "   acht I cairried a fraucht
    "   nine I muckit the swine
    "   ten I pluckit a hen
    "   elivven I cam back fae Rivven
    "   twal I fell inte the waal
Thirteen, fourteen I gid te the fair
Fifteen, saxteen fit te dee there
Siventeen, achteen te buy a grey mear
Nineteen, twenty they were aa owre dear.

Fin A wis young an herty,
A hurlt in a cairtie,
The cairtie bruk an A fell oot,
An skinned aa ma ersie.

BAIRNS' RHYMES

Ma father an mither wis Irish
An A wis Irish tee,
A bocht a fiddle for achteen pence
An it wis Irish tee,
Bit the only tune that it wid play,
Wis "Over the hills an far away",
Or "Kittle ma erse wi a barley strae".

Aunty Mary had a canary
Up the leg o er drawers
It fusselt for oors an fleggit the Boers
An won the Victoria Cross.

Tinkie, tinkie, tarry bags,
G'wa te the waal an wash yer rags.

Tinkie, tinkie, tarry hat,
Yer hat's nae yer ain,
Ye stole it fae an aal wife,
Comin throu the glen.

Abernethy biscuits an ith, ith, ith.

BAIRNS' RIDDLES

The rook, the raven and the crow,
The liverock and the lark,
The mavis and the nightingale,
Noo foo mony birds is that?

Aiberdeen and Aiberdour,
Spell ee that in letters fower.

Roon an roon the rugged rocks
The ragged rascal ran.
If ye can tell me foo mony r's there are in that
    A'll caa ye a clivver man.

Caal kail, aal kail, nine days' aal kail,
Bil't in a pot an fried in a pan,
Spell ee that in fower letters if ye can.

Spell withered girse wi letters three.

A riddle, a riddle, a rot tot tot
I met a man wi a reed reed coat
A staff in es han an a steen in es throat
If ye tell me ma riddle I'll gie ye a groat.

Fit daes the rich pit in their pooches an
    the peer throw awa?

271

BAIRNS' RIDDLES

Which is the clivverer - a black hen or a fite een?
A black een because a black hen can lay a fite egg
    bit a fite hen canna lay a black een.

Sisters and brothers have I none,
But that man's father is my father's son.

Fit wye daes Scatterty's cat nae ett salmon?
(Because she canna get it.)

The dominie, the elder an lang John Lamb,
Gid til a pear tree far three pears hang,
They aa pu'd a pear bit twa still hang.
(John Lamb was dominie and elder.)

Three hale cakes an three half cakes,
Three quarters o anither,
Atween the piper an es wife
An the fiddler an es mither.
Divide them oot withoot brakkin the cakes.
   (The piper's wife is the fiddler's mother)

Brae-fu an halla-fu,
Though ye gaither aa day,
Ye winna get a stoup-fu.   (Mist)

272

BAIRNS' RIDDLES

As I gaed ower the Brig o Dee
I met wi Geordie Buchan;
I took aff his heid, an drank his bleed,
An left his body stannin. (A bottle of beer.)

It sits heich an cries sair,
His the heid, bit wints the hair. (The town clock.)

Hairy oot an hairy in,
His the hair bit wints the skin. (A rope.)

An it's neither Meg nor Peg nor Margit
That is my true love's name;
An it's neither Moll nor Poll nor Bridget,
An thrice I've told her name.
    (Ann)

Fit gings oot black an comes in fite?
(A black coo in a snowstorm.)

Fit walks wi its heid nethmaist?
(A nail in a horse shoe.)

SIMILES

As aal as the hills.
As aal as the hills o Birse.
As aal-farrant as a nickit bap.
As bare as the birks at Eel.
As black as the Ace o Picks.
As black as the back o the lum.
As black as the crook.
As black as the Earl o Hell's weskit.
As blin as a bat / a mole.
As braid as a barn door.
As broon's a berry.
As caal as charity.
As caller as a kail blade.
As cankert as a coo wi ae horn.
As crookit as a Rob Sorby heuk.
As daft as a yett on a winny day.
As deef as a door nail / a post.
As dry as dist.
As eel's the bull.
As fat's a butter baa.
As feel as a maik watch.
As fite as a ghost / as snaa.
As fu' as a puggie.
As gleg as a gled.   As green as kail.
As hard as Henderson's erse an it wis ten
    times harder nor flint.

SIMILES

As happy as a bleck amon treycle.
As happy as a coo wi a banjo.
As happy as a pig amon shite.
As hard as a hen's face / as horn.
As hard as shovellin saadist wi a graip.
As het as hell. As het as love an it's nineteen times
     hetter nor burnin lead.
As licht as a feather.
As mad as a Mairch hare.
As mim's a Mey puddock.
As mony as ye could wag a stick at.
As neat as a new preen.
As peer as a kirk moose.   As quaet as a moose.
As plain as porritch.
As prood as bull beef.
As redd te rowe as rin.
As richt as a tacket.
As sure's A live.   As sure's A'm here.
As sure's death.   As sure's a gun.
As swack as a sauch wan'.
As sweir's the mullart.
As swippert as an eel.
As teuch as widdy wan's.
As thin as a rake / the links o the crook.
As wersh as porritch wintin saut.
As wily as a tod.

PROVERBS

Aabody's business is naebody's business.
Aabody's feel bit you an me, an files A think
    ee're feel tee.
Aa cats are grey in the dark.
Aa compleen o wint o siller, bit neen o wint o sense.
Aa geese are nae swans.
Aal fowk are twice bairns.
Aal maids' bairns is aye weel bred.
Aal wives were aye gweed maidens.
Aa's weel that eyns weel an has a gweed beginnin.
Aa the wit in the warle is nae in ae pow.
A bonnie bride's seen buskit.
A cock craws crouse on his ain midden heid.
A dirty han maks a clean herth steen.
A dog wi a been has nae freen.
Ae half o the wardle disna ken foo the ither half lives.
Ae han winna wash the ither for naething.
Ae man's maet is anither man's pushion.
A gien horse shidna be lookit in the moo.
A gyaan fit's aye gettin, even if it's only a thorn
    or a broken tae.
A hairy man's a happy man, a hairy wife's a witch.
A horn speen cairries nae pyshen.
A hoongry loose bites sair.

PROVERBS

A labour o love neither fulls the belly nor
    haps the back.
A layin hen's better nor a stannin mull.
A lee in jest is a sin in earnest.
A linen Sunday maks a harn week.
A little pot's seen het.
A little spark maks muckle wark.
A man may spit on es nieve an dee but little.
A man's little eese fin his wife's a widda.
A maybe / Mey bee is nae aye a honey bee.
A mittent cat taks nae mice.
An aal maid's bairns is easy brocht up.
An aal pyoke's aye skailin.
An eident drap will pierce a steen.
An ill bell soons far.
An ill servant nivver maks a gweed maister.
A peety for a pairish that the priest shid wint a wife.
A rattlin cairt gangs lang te the hill.
A rollin steen gaithers nae moss.
A shave aff a new cut loaf's nivver misst.
A silken Mononday maks a harden week.
A sillerless man gangs fest throu the mercat.
As the aal cock craws the young een learns.
As weel be hangt for a yowe as a lamb.
As ye dee yersel ye dreed yer neipour.

PROVERBS

A threid will tie an honest man better nor a
    rope will tie a knave.
Atween twa steels ye're sure te faa throu.
A wee buss is better than nae bield.
A willfu woman will hae her wye.
A winkin cat's nae aye blin.
A woman's wark is nivver deen.

Batchelors' wives an aal maids' bairns are aye
    weel bred.
Beggars canna be choosers.
Better a finger aff nor aye waggin.
Better a teem hoose nor an ill tenant.
Better a wee ingle te warm ye than a big fire te
    burn ye.
Better te bow te yer foes than beg fae yer freens.
Better some fun nor aa earnest.
Better te stop in mid watter nor gang throu an droon.
Better the deil ye ken nor the deil ye kenna.
Better the kent ill nor the gweed untried.
Better thole a grumph than a sumph.
Better weer the sheen nor the sheets.
Bocht wit maks fowk wise.
Bonnie birds are aye the warst singers.
Broken breid maks hale bairns.

PROVERBS

Brunt bairns dreed the fire.
Butter te butter's nae kitchie.

Canna dee sits at the back o winna dee's door.
Changes are lichtsome an feels are fond o them.
Come unbidden ye will sit unsaird.
Coont again is nae forbidden.
Curses, like chuckens come hame te reest.

Een at a time is gweed fishin.
Eence a bailie, aye a bailie.
Eneuch's as gweed's a feast.
Every man toots his ain horn best.

Fair excheenge is nae robbery.
Fair fowk's aye fushionless.
Far fowls hae fair feathers.
Far it's nae gien it canna be lookit for.
Far there's reek there's heat.
Feels an bairns shidna see things half deen.
Feels raivel an wise men redd.
Fin ae door steeks anither opens.
Fin poortith comes in at the door, freenship flees
    oot at the winda.
Fin the tod preaches, tak tent o the lambs.
Fire's a gweed servant but an ill maister.

PROVERBS

Fit can ye expect fae a soo bit a grumph.
Fit canna be cured maun be endured.
Fit's gweed te gie is gweed te keep.
Fit's in yer wime winna be in yer testament.
Fit's naitral's nae nesty.
Fit's the wardle comin til fin ye canna shove yer
    finger throu a steen.
Fit the ee disna see the hert disna grieve aboot.
Fit ye canna cheenge ye maun thole.
Fit ye dee fin ye're drunk ye'll pey for fin ye're dry.
Foul watter slockens fire.

Giff-gaff maks gweed freens.
Gin it warna for the belly the back wid weer goud.
Gin ye get the name o risin early, ye may lie in
    yer bed aa day.
Gin ye're te be droont ye winna be hangt.
Glasses an lasses are brittle ware.
God helps them that helps themsells.
God help them that disna help themsells.
God sen you mair sense an me mair siller.
Greater loss fin a gweed layin hen dees.
Gweed cleise open aa doors.

PROVERBS

Gweed gear gings inte smaa bouk.
Gweed never sent the moo but He sent the maet.
Gweed ware maks a quick mercat.

Harkeners hear nae gweed o theirsells.
He drives a gweed cairt load te his ferm that gets
    a gweed wife.
He has gweed jeedgement that disna lippen til his ain.
He's a siccar horse that never snappers.
He shid be wise an sit siccar that has a tear in
    the erse o es breeks.
He that lippens til a lent ploo will hae his lan
    lang in ley.

If aabody had their ain some fowk wid be ill aff.
If ifs an ans were pots an pans there'd be nae eese
    for tinkers.
If ye trust afore ye try,
Ye may rue afore ye die.
Ilka blade o grass keps its ain drap o dew.
Ilky dog has his day.
Ill deears is ill dreeders.
Ill workers are gweed onlookers.
It never rains bit it poors.

PROVERBS

It's a coorse bird that files its ain nest.
It's a dry tale that disna end in a drink.
It's a lang loanin that has nae turnin.
It's a peer hen that canna scrat for itsel.
It's a peer hen that canna scrat for ae chucken.
It's an ill win that blaws naebody gweed.
It's easier te big lums than te keep them reekin.
It's fine te be hoongry an ken o maet.
It's gweed te see gweed an follow efter't.
It's ill fessin ben fit's nae in the but.
It's lang or ye cry shoo til an egg.
It's nae aa gowd that glitters nor aa silver that shines.
It's nae aye the cairt that rummles the maist that
    gings first ower the brae.
It's nae eese ettin a coo an worryin on the tail.
It's nae eese keepin a dog an barkin yersel.
It's nae eese steekin the stable door efter the
    steed's stown.
It's nae for naething that the gled fussles.
It's nae fit ye hae, bit fit ye dee wi fit ye hae
    that coonts.
It's nae loss fit a freen gets.
It's nae sae Hielan te be sae far north.
It's nether fish nor fowl nor gweed red herrin.

PROVERBS

It's the aal that wins the new.
It's the belly that keeps up the back.
It's the steady dreep that weers the steen.
It's tint gweed that's deen te bairns an aal fowk.

Kent fowk's the best company.

Lang an smaa, gweed for naething ava.
Lang lugs hear nae gweed o themsells.
Learn young learn fair, learn aal learn sair.
Least said seenest men't.
Leears shid hae gweed memories.
Like the Hielanman's gun, lacks naething but
        lock, stock an barrel.
Little wit in the heid gies muckle traivel te the feet.
Little wit sairs a lucky man.
Look te the pennies an the pouns'll look te themsells.

Manners mak the man.
Men the aal an hain the new.
Mony a een sees yer front door that disna see
        yer fireside.
Mony hans mak licht wark.

PROVERBS

Mony a een wid blush te hear fit he widna
    blush te dee.
Mony a pickle maks a puckle.
Muckle has wid aye hae mair.

Naebody's sweethert's oogly.
Nae news is gweed news.
Naething's got wi'oot pains bit an ill name,
    dirt an lang nails.
Near deed never fullt the kirkyaird.
Needs must gin the deevil drive.

O aa ills, neen's best.
Owre mony grieves hinner wark.

Pigs micht fussle bit they hiv an ill mou for't.
Pooder an pent hides mony a rent.

Richt wrangs nae man.

Say weel an dee weel wis pitten in a letter;
Say weel did weel, bit dee weel did better.

Speak o the deil an he'll appear.
Sudden freenship, sure repentance.

PROVERBS

Teem girnals gie the loodest soon.
That's cairryin saut te Dysart.
That's the coo's price an her nae sellt yet.
The back's aye fitted te the burden.
The best is aye better chape.
The better the day the better the deed.
The biggest bummer's nae aye the best bee.
The creakin gate aye hings the langest.
The deil's aye gweed til es ain.
The deil's nae a gweed bedmate.
The fat soo's erse is aye weel creeshed.
The game's nae wirth the cannle.
The happy man canna be herried.
The hetter the war the seener the peace.
 The langer we live the mair ferlies we see.
The mair the merrier.
The nearer the been the sweeter the meat.
The noblest wark has aye some flaw.
The pig gangs te the waal till ae day.
The prief o the pudden's in the preein o't.
The reek in yer ain hoose is aye better nor
    the fire in yer neepor's.
The souter's bairns an the smith's mear are aye
    the warst shod.
The things that's deen the day winna be te dee
    the morn.

PROVERBS

The king mith come in the cadger's road.
The tink an the toff's aa een te me.
The wardle's ill pairtit.
The willin horse gets aye the load,
The rinnin man gets aye the road.
The willin horse gets aa the wark.
Them that's brocht up like beggars is aye the
     warst te please.
Them that wytes weel betydes weel.
There never wis a bad bit there micht hae been a waar.
There's a mids in the sea.
There's a time te gley an a time te look straucht.
There's a trick in every trade an an airt in shitin.
There's aye a muckle slippy steen at ilka body's door,
     an some hae twa.
There's aye some watter far the stirkie droons.
There's better fish in the sea than ever cam oot o't.
There's mair nor ae wye te kill a cat.
There's nae muckle oo fae shearin a soo.
There's naething gotten bit far it is.
There's neen sae blin as them that winna see.
There's nocht sae queer as fowk.

PROVERBS

They craw crouse that craw last.
They gyang far aboot that never meet.
They're free wi their horse that has neen.
This or better micht dee, ony waar winna.
Three can keep a secret if twa be awa.
Time tint is nivver fun.
Time an tide tarry for neen.
Tine thummle, tine thrift.
Twa blacks disna mak a fite.
Twa heids are better nor een, even if they're only
    sheeps' heids.

Want o wit is waar nor want o gear.
Welcome is the best dish in the kitchen.
When God made time He made plenty o't.
Wilfu waste maks woefu want.
Wit bocht maks fowk wise.

Wha wid miscaa a Gordon on the raws o Strathbogie.

Ye can mak a kirk or a mull o't.
Ye can tak a horse te the watter bit fower an twenty
    winna gar im drink.
Ye canna gaither berries aff a fun buss.
Ye canna mak a silk purse oot o a soo's lug.

PROVERBS

Ye canna mak a tootin horn oot o a tod's tail.
Ye canna tak the breeks aff a Hielanman or a bare erse.
Ye could gang far an fare waar.
Ye'll be a lang time deed.
Ye may like the kirk weel eneuch an nae aye
    be ridin on the riggin o't.
Ye need a lang speen te sup wi the deil or a
    Fifer.
Ye never heard a cadger cryin stinkin herrin.
Ye never miss the watter till the waal rins dry.
Ye shape yer sheen wi yer ain shauchlet feet.

PRECEPTS

Aye dee the richt though the warle winner at ye.

Be fit ye wid be caad.
Begin as ye wad wish te eyn.
Be good an ye'll growe bonnie.
Be good an ye'll growe bonnie for I wis eence
    as ugly's you.
Behave yersel afore fowk.
Better spick bauldly oot nor aye be grumphin.
Better sit still nor rise an faa.
Be yer ain servan till yer bairns come o age.

Caa canny an flee laich.
Caa canny wi the butter.

Dee as the lasses dee - say "No" an tak it.
Dee naething in the daytime that'll gar ye greet
    at nicht.
Dee weel an shame the deil.
Dicht yer ain door steen afore ye look at yer neiper's.
Dinna be mealy-mou't.
Dinna coont yer chuckens afore they're hatched.
Dinna dee fit A dee, dee fit A say.
Dinna dee onything that A widna dee.
    (That gies me plenty o scope.)

PRECEPTS

Dinna gut yer herrins afore ye catch them.
Dinna lift me afore A faa.
Dinna lippen til a new freen or an aal enemy.
Dinna mak fish o een an flesh o anither.
Dinna tak a doo till ye hiv a doocot.
Dinna tak a grip o a deer's horns till he's deed.
Dinna try tellin yer granny the wye te set eggs.

Flee laich an ye winna hae far te faa.

Gie ower while the play's gweed.
Gie yer purse te yer wife an gie her yer breeks
    te the bargain.
Gie yer tongue mair holidays nor yer heid.
Gin the bonnet disna fit dinna weer't.
Gin ye buy fit ye dinna need ye'll hae te sell fit
    ye canna spare.
Gin ye hew abeen yer heid ye may get a spail in yer ee.

Jouk an lat the jaw gae by.

Keep gweed company an ye'll be coontit een o them.
Keep hame an hame'll keep you.
Keep yer ain fish guts te yer ain sea maws.
Keep yer min' easy an yer booels open.

290

PRECEPTS

Lat sleepin dogs lie in case they rise an bite.
Law's costly so tak a pint an gree.
Lippen te yersel gin ye wint te win throu.
Live horsie an ye'll get girse.
Lock yer door an keep yer neipers honest.

Nae maitter foo ill ye are, look aboot ye.
Never rax abeen yer reach.

Pick the mote oot o yer ain ee first.
Please yersel an ye'll aye please somebody.

Set a stoot hert til a stey brae.
Shut yer moo an ye'll catch nae flees.
Speak the truth an shame the deil.
Stick on a knot an ye'll stick in debt.

Tak care an nae tie a knot wi yer tongue that ye
    canna lowse wi yer teeth.
Tak care that ye dinna glower at the meen till
    ye faa in the midden.
Tak tent an men'.
Tak tent in time ere time tine ye.
Tak the bite an the buffet wi't.
Tak things canny like.
Tak yer ain fails te big yer ain dike.

PRECEPTS

Tak yer gweed mainners aboot wi ye.
Tell the truth an it'll tell twice.
Try afore ye trust.

Work oot the inch as ye've deen the span.

Ye canna haud meal in yer moo an blaw.
Ye'll gang lang barfit gin ye wyte on deed
    men's sheen.
Ye'll live as lang merry as sad.
Ye'll ne'er be aal wi sae muckle honesty.
Ye're nivver owre aal te learn.
Ye winna need a cannle te mak yer will.

Gweed fowk's scarce - look efter me.

FAMILY TALES

My father, driving back from Dingwall mart
accompanied by Nosey Pirie, and thinking he had
lost his way :

Dad :   Div ye think we're on the richt road?
Nosey : Weel, A'm nae jist acquant wi that muck
           midden.

Colin Wilson, having seen Achnabreck for the first
time :

Jimmie : Weel, Colin, fit div ye think o that place?
Colin : She's a gey billie.

Uncle John Wilson :

      Ye dinna jist like caa'in a lassie oogly,
      bit she's verra plain.

Joseph Greenlaw, teasing Annie Bella Wilson :

Josie :   Ay, Bell, ye're growin.
Bell :   Oh. Dae ye think so, Josie?
Josie :   Ay. Aul an oogly.

Joseph Greenlaw, after a very substantial meal :

      If A hid a sweetie noo, A wid be jist richt.

FAMILY TALES

Robert Greenlaw, on completion of a new pigs
  house at Fattahead.

Robbie : Pigs are clean craiters. If ye gie them a dark
  corner in their hoose they'll mak their mess
  there an keep their beds fine an clean.
Me   : A niver kent that.
Robbie : Weel, fin ye first pit them intil a new pen
  they micht jist lat aff a shite wi excitement,
  bit they seen sattle doon.

A young minister, being entertained to tea by Nosey
Pirie was trying politely to put syrup on a scone using
a spoon:

Nosey : Na na minister 'at's nae the wye te dee wi
  treycle. Use yer knife an jist twine 'er up
  an apply direc'.

NOTES

NOTES

NOTES

NOTES

NOTES

NOTES

INDEX

INDEX

INDEX

INDEX

INDEX

INDEX

INDEX

INDEX

INDEX

INDEX

INDEX

INDEX

INDEX

INDEX

INDEX

INDEX

INDEX

INDEX

INDEX

INDEX

INDEX

INDEX

INDEX

INDEX

INDEX

INDEX

INDEX

INDEX

INDEX

INDEX

INDEX

INDEX

INDEX

INDEX

INDEX

INDEX

INDEX

INDEX

INDEX

INDEX

INDEX

INDEX

INDEX

Y

AN INHERITANCE

FROM

OUR ANCESTORS

HANDED DOWN

TO

OUR DESCENDANTS